LE MARTEAU
PIQUE-CŒUR

À Lyon, le narrateur retourne sur les lieux de son enfance pour voir s'éteindre son père, vieil immigré paisible. Cette mort du père cristallise les problèmes identitaires de ce fils d'immigré et de sa fille. Les souvenirs ressurgissent alors. Des mots, des gestes, des odeurs, des prières… Et toute une histoire, celle des pionniers de l'immigration algérienne et du destin de leurs enfants, se reconstitue. Un grand roman de rire, de larmes et d'amour.

Avec une verve intacte, où s'entrecroisent sans cesse l'humour et l'émotion, ainsi qu'un inimitable talent de conteur, Azouz Begag reprend le fil d'une autobiographie longtemps interrompue, dix-huit ans après le succès du *Gone du Chaâba*.

Azouz Begag est né en 1957, à Villeurbanne, de parents algériens. Il est écrivain (auteur de nombreux romans et essais) et chercheur au CNRS. Son roman, Le Gone du Chaâba *a été adapté au cinéma et a connu un succès de librairie considérable.*

Azouz Begag

LE MARTEAU PIQUE-CŒUR

ROMAN

Éditions du Seuil

TEXTE INTÉGRAL

ISBN 2-02-079836-0
(ISBN 2-02-063740-5, 1ʳᵉ publication)

© Éditions du Seuil, mars 2004

www.seuil.com

À mon père
à ma mère
qui n' auront jamais pu lire
un de mes livres.

J'avais téléphoné à mes vieux parents à Lyon et j'avais senti des ondes négatives dans leur voix à l'évocation de cette partie du monde où je me trouvais pour quelques jours.

America…

C'était si loin dans leur tête que, pour les rassurer, j'avais expliqué que je me trouvais en Floride, sans entrer dans les détails de mon périple. Mais mon père, qui n'avait fait qu'un seul grand voyage en avion dans sa vie pour se rendre en pèlerinage à La Mecque, en dehors de ses allers et retours au pays, avait malgré tout le sens de la géographie, du lointain. Il avait senti le piège :

– Tu es chez *Dgeourge Bouche* ?

Il y avait de la peur dans sa voix. Les fils du téléphone tremblaient.

– Tu es chez le diable ? Mais qu'est-ce que tu fais là ? Attention à toi, mon fils, ces gens-là peuvent te faire du mal…

À force, il avait fini par me transmettre son angoisse. Je ne sais ce que cachait son avertissement, mais avant que j'aie pu le rassurer, il s'inquiétait déjà de savoir si j'avais de l'argent dans ma poche, où j'allais dormir, ce que j'allais manger. Avaient-ils des hôtels, là-bas ?

– Mais bien sûr, papa, c'est l'Amérique ! Des hôtels, il y en a plein les rues. Il y a tout ce que tu veux, ici. Tout, même ce que tu ne veux pas.

Il n'avait jamais dormi dans un hôtel.

Il était aussi intrigué par le nombre d'heures à passer dans les cieux pour arriver là. Neuf! Sa voix en était restée suspendue à l'autre bout du fil.

– Allô, Abboué, tu es toujours là?

– Oui, moi je suis bien là, fils, mais toi, où es-tu?

– Ça va, ne te fais pas de mauvais sang, je vais revenir bientôt… Tu m'entends?

– Oui, oui, j'entends. J'essayais de voir dans ma tête combien ça fait, neuf heures d'avion… Moi, pour aller en Algérie, je passe une heure et demie en l'air… Bon, mais assez parlé, le téléphone coûte cher, je te laisse, mon fils. Qu'Allah veille sur toi et tes voyages, mais un jour faudra t'arrêter de… parce que tu sais… les… pas bien…

Des agents de la CIA envoyaient de la friture sur la ligne téléphonique. La voix de mon vieux père s'était hachée puis estompée dans les méandres des réseaux internationaux de télécommunications et, du fait des imbroglios technologiques, avait été remplacée par une conversation en espagnol entre un homme et une femme qui se crachaient à la figure leur haine et leurs sales vérités sur l'amour.

Je cherchais Abboué sur les ondes.

– Allô? Allô? Tu es où? *Por favor, silencio!* Tu es où, Abboué?

Je l'avais retrouvé plus loin, toujours les deux pieds sur terre.

– À Lyon, où veux-tu que je sois?

J'avais conclu la conversation en lui recommandant de bien prendre soin de sa santé, d'accord? Sa santé? Oh, pour l'heure ça allait, il arrivait à tenir tous les bouts qui étaient encore valides, mais pour le reste, le grand reste, c'est Dieu qui tenait les ficelles. Lui seul.

– Allez, embrasse maman.

Elle avait suivi notre discussion à l'écouteur. À la fin,

10

elle avait seulement demandé quand j'allais rentrer et j'avais répondu dans deux semaines, un peu moins. Mon père avait repris l'appareil en main pour me souhaiter malgré tout bon séjour chez les Bush avant de raccrocher. J'allais recevoir une belle facture de téléphone, mais mes vieux parents méritaient bien cela et même beaucoup plus. J'avais raccroché, moi aussi, doucement, le temps de mesurer la distance qui me séparait d'eux.

En quittant leur village misérable, où le blé ne suffisait plus à remplir les ventres des enfants, et en rejoignant les usines de France pour s'enrôler dans les armées de main-d'œuvre, ils avaient accompli un fabuleux voyage. C'était leur Amérique, en quelque sorte. Moi, en fréquentant l'école des Français, en faisant de Vercingétorix le héros de mes jeux, j'avais accompli un autre déplacement, moins loin, mais sans retour, j'étais devenu Franc, Gaulois. Et aujourd'hui, je ne savais comment leur expliquer l'Amérique, ni même le sens du mot « écrivain ». Ils ne savaient ni lire ni écrire. Comment leur parler de géographie alors qu'ils imaginaient le monde comme un segment bordé par Sétif et Lyon ? Comment leur faire comprendre qu'il fait nuit chez George W. quand il est midi chez eux ? Je me sentais jet-largué.

*

«Welcome to Texas!» murmura Alec, assis à côté de moi. À travers le hublot, je contemplais le paysage depuis plus d'une heure déjà, ces terrains plats, sans fin, qui s'enchaînaient les uns aux autres, et sur lesquels les agriculteurs avaient dessiné d'impressionnantes figures géométriques, circulaires, hexagonales ou triangulaires, sans doute afin de s'offrir quelque fantaisie et de travailler la terre en brisant l'insolente monotonie de l'espace. Parfois, j'apercevais la carcasse de leurs machines, dont on devinait depuis les cieux la puissance et l'envergure. Elles avaient l'allure de girafes géantes, d'éléphants difformes montés sur pneus Goodyear et jantes larges, d'araignées tentaculaires arrosant les immensités jaune-ocre ou verdâtres. Pas de doute, nous étions bien au pays de la quantité et de la rentabilité. Dans cette géométrie aux dimensions si extravagantes, la France faisait figure de petit coin de terre, et l'Algérie, mon autre fontaine identitaire, de petit bac à sable blanc.

C'était la première fois que mes yeux découvraient le Texas. Rien que le nom me faisait rêver depuis l'enfance, à cause des westerns et des livres de cow-boys. J'avais les deux pieds dedans, à présent, enfin presque, si le ciel, avec l'appui de George W., le *chitane*, ne nous faisait pas d'entourloupes jusqu'à l'atterrissage.

Après avoir admiré le paysage, Alec reprit sa position et se replongea dans le texte de sa conférence, ses lunettes solidement arrimées sur l'arête aiguisée de son nez anglais. Je l'ai laissé se concentrer. Il mettait la dernière touche à son exposé sur la littérature minoritaire en France, un sujet dont il avait fait sa spécialité et dont il était l'expert reconnu dans les universités du monde entier.

Nous nous étions connus il y a une vingtaine d'années à Lyon, où il venait m'interviewer pour une recherche, et nous étions vite devenus amis, grâce aux Monty Python et, plus précisément, à *La Vie de Brian*, film qui m'avait définitivement transformé en anglophile convaincu. Un peuple capable de produire cet humour ne pouvait pas être mauvais. Qui plus est, je ne nourrissais aucune rancœur historique contre les Anglais, mes grands-parents n'ayant pas participé à la bataille de Trafalgar.

Sanglée sur son siège, l'hôtesse annonça d'une voix tremblotante l'atterrissage imminent sur l'aéroport de Lubbock. Alec sourcilla nerveusement, son visage se crispa. Je commençais à transpirer des mains. Quelque chose ne tournait pas rond dans les moteurs. Je fixai l'aile. Pas d'incendie visible, juste une légère fuite d'huile. Et si tout devait se terminer ici ? Si cet atterrissage à Lubbock se soldait par un crash et que nos vies, si bien remplies, étaient broyées sur le tarmac de la piste, tel un rouleau de papier peint sur du sable ? J'aurais bien aimé disposer de leurs fameux masques à oxygène pour respirer, mais ils n'étaient disponibles qu'en cas de dépressurisation soudaine de la cabine. Je resserrai un peu plus ma ceinture de sécurité. Alec ôta ses lunettes et ferma les yeux pour réciter son exposé ou peut-être pour prononcer une prière. J'en profitai pour écrire un texto imaginaire à mon dieu et lui rappeler que j'avais des parents et deux filles que j'aimais plus que tout au monde et que je voulais les revoir en France.

Lubbock, Texas. Je sentais les milliers de kilomètres qui me séparaient désormais de ma maison. Lubbock ! Comment les miens allaient-ils me retrouver ici en cas de décès après le crash ? Qui viendrait chercher ma dépouille en ce bout de monde ? Personne ne connaissait ce bled, à part ses habitants.

Alec dut ressentir ma détresse. Il s'efforça de me faire la conversation, sans doute pour m'occuper l'esprit et m'épargner la conscience de mes derniers instants. Il se mit à m'expliquer que Lubbock était la ville natale de Buddy Holly, un chanteur des années cinquante, mort à vingt-deux ans. Je n'en avais jamais entendu parler, mais quand il avait entonné son plus grand tube, *Peggy Sue*, je m'étais senti en terrain familier. Cependant, mon enthousiasme était aussitôt retombé en apprenant que le jeune rocker avait laissé sa peau et sa guitare à la sortie du virage de l'adolescence… dans un accident d'avion.

Mes mains recommencèrent à transpirer de plus belle. Je serrai ma ceinture d'un cran supplémentaire, le dernier, tirai le pare-soleil sur le hublot pour ne pas voir la terre d'Amérique qui montait vers l'avion à plus de deux cents kilomètres à l'heure.

*

Bien sûr, l'atterrissage se déroula normalement. Malgré mon père superstitieux, George le diable, Buddy l'infortuné et la légère fuite d'huile.

À l'université de Lubbock, avant d'entrer dans la salle de conférences où le public m'attendait, je m'observai de haut en bas dans un miroir, fixai mes pieds comme si j'avais besoin de retrouver des bases, de sentir des racines sous mes semelles boueuses de fuyard. L'image de mes parents s'inscrivit sur le sol. Ils avaient l'air fiers de moi, mais aussi tourmentés par mon départ. Je n'étais plus le petit enfant qui rentrait sagement tous les soirs à la maison après l'école pour faire ses devoirs, j'étais devenu un grand qui, à force de partir, partirait un jour en vrille.

Je fis ma conférence sans conviction, perturbé par une idée : rentrer chez moi. On m'attendait, on m'appelait au secours. Jamais je n'avais ressenti un tel appel, une évidence si puissante. À la fin de mon exposé, je me levai du bureau et m'éclipsai de la salle, sous le regard interrogateur du maître de séance et du public. J'entrai en courant dans une bibliothèque où j'avais repéré un accès libre à l'Internet et composai à la hâte mon adresse mél. Lire du français me fit du bien, comme si je respirais déjà l'air du pays. Plusieurs messages apparurent à l'écran, dont un de ma fille aînée. Je l'ouvris en premier, rongé par l'inquiétude. Elle disait que mon vieux père était tombé sur le balcon de son appartement, qu'il s'était cassé la cheville et qu'il avait fallu le transporter d'urgence à l'hôpital. Elle terminait en disant qu'elle n'en savait pas plus pour l'instant et me souhaitait bon retour en France la semaine prochaine. Mes bras s'affalèrent sur le clavier. Un mauvais vent traversa l'écran d'ordinateur. J'appuyai sur la touche « Précédent ». Le temps fit une marche arrière. Un mois plus tôt. Mon pauvre père s'était fracturé un petit os de la cheville et avait dû rester trois semaines allongé sur son lit. À chaque fois que j'allais lui rendre visite à la maison, je voyais au fond de son regard qu'il n'allait pas tolérer cette situation très longtemps. Toute sa vie durant, il était resté un homme debout, ce n'est pas maintenant qu'il allait laisser un petit os de rien du tout perturber son équilibre. N'avait-il pas survécu à quarante années dans l'industrie du bâtiment, à plusieurs accidents, blessures, maladies, accédé à la retraite dont il avait même profité pendant plus de vingt ans ?

Cette nouvelle chute sur le balcon était de mauvais augure. Je l'imaginais souffrant le martyre et, à ses côtés, ma mère paniquée qui m'appelait au secours. Et moi, à Lubbock, en train de jouer au conférencier de l'inutile. Il était trop tôt pour téléphoner en France. Je devais attendre quelques heures. Je fis une balade sur le campus de l'université. Une belle lumière dans le ciel soulignait l'impeccable relief des arbres en fleurs, rouges, taillés en brosse par des jardiniers rigoureux. Des étudiants arrivaient et repartaient, souvent dans des voitures énormes, à la mesure du Texas, montées sur des roues spécialement moulées pour affronter les déserts sans fin. En admirant une jolie fille blonde au volant de son véhicule tout-terrain, je me suis demandé si j'aurais été heureux de vivre cette vie de quantité. Non. J'aurais grossi. Si loin des miens.

L'après-midi, je téléphonai à ma mère d'une cabine publique. Surprise de m'entendre si proche, elle me demanda tout de suite où je me trouvais, suspectant une de mes blagues habituelles, mais je lui coupai la parole et la pressai de me donner des nouvelles du père. Elle me rassura, à cette heure-ci, il allait bien. Mon frère Farid avait appelé les pompiers, ils étaient venus le décoincer du balcon et voilà, c'était tout, pas de quoi se payer un voyage retour express de Lubbock à Lyon. Je pouvais tranquillement finir ma tournée. Rassuré, je promis que j'allais lui rapporter un beau cadeau. Elle demanda «quoi?». Un chapeau texan. Elle raccrocha net.

Trois jours plus tard, je quittai Lubbock, le Texas, les Bush et les États-Unis le cœur léger pour rentrer en France. Finalement, j'en tirais une satisfaction personnelle : je m'en étais mieux sorti que Buddy Holly. Mon destin ne s'arrêtait pas à Lubbock. Bientôt, j'allais embarquer dans un vol Air France, fouler le sol de l'aéroport de Roissy, me précipiter dans un snack pour déguster un café, un bon café de chez nous, romain ou napolitain, retrouver mon chez-moi. Des étincelles de bonheur jaillissaient de ma poitrine. Tout mon être était à la fête.

Tout mon être, à l'exception d'une petite parcelle de mon esprit qui exprimait sa fureur parce que j'avais accepté de participer dans la foulée à un autre colloque international, à Tanger, au Maroc, sur le thème «Tabou et Sacré en littérature». J'avais bien essayé d'informer par mél mes hôtes marocains à Tanger, avec mille précautions diplomatiques, que probablement, malheureusement... du fait de complications inattendues dans ma vie personnelle, je serais dans l'obligation de surseoir... Mais en guise de réponse, je n'avais reçu qu'une sèche injonction à participer à cette foutue rencontre sur le

Tabou et le Sacré, thème sur lequel je n'avais, à proprement parler, rien à dire. Le message me rappelait que le colloque se préparait depuis six mois, que j'avais donné mon accord il y a bien longtemps et que, comble du succès, des conférenciers s'étaient déjà inscrits à l'annonce de ma participation. Allez refuser, après des arguments de cette taille !

Heureusement, ces rencontres ne duraient que trois jours. Pour m'encourager, j'avais organisé mon plan de vol et mon itinéraire : arrivée à Roissy le 3 avril au matin, une nuit à Paris, départ le 4 pour Lyon, une journée, départ le lendemain pour le Maroc. J'aurais juste le temps de passer voir mon père à la clinique du Dôme à Lyon, un établissement réputé pour la médecine et la rééducation sportives. Mon vieux papa et ses quatre-vingt-neuf ans étaient entre de bonnes mains.

Une fois, il était passé très près de la mort, environ huit ans auparavant. À l'époque, il se plaignait continuellement de brouillards qui bouchaient sa vue et de maux de tête qui lui paralysaient le cerveau en l'attaquant au marteau. Il devait alors s'attacher au lit pendant plusieurs heures, la table de chevet débordant de cachets et de gélules multicolores, de toutes sortes, pour laisser le mal faire son travail de sape sur son corps. On lui avait fait subir divers examens, dans différents hôpitaux. Rien. Aucune lésion n'était visible. La médecine abdiquait. Retour aux Efferalgan et à l'aspirine. Jusqu'au jour où un médecin diagnostiqua enfin l'anomalie. Il en parla à ma sœur aînée qui revint, décomposée, à la maison en balançant la nouvelle sur la table du salon :
– Le papa a une tumeur à la glande hypophyse.
Un photographe aurait dû prendre un cliché à ce moment-là… L'annonce avait déclenché une profonde consternation dans notre smala. Ceux qui étaient assis

se levèrent, ceux qui étaient debout s'affaissèrent, ceux qui se trouvaient à la cuisine se précipitèrent au salon. Les mouvements paraissaient aussi désordonnés qu'inutiles. De toute façon, l'appartement semblait secoué par un violent séisme et rien ne garantissait la stabilité de telle ou telle position. Ma mère qui ne parlait pas un mot de français tomba dans les courgettes. Mon père la regarda simplement, sans la ramasser.

– Oh non ! lâcha une de mes sœurs en sortant sur le balcon pour respirer un coup. Une tumeur à la *grande* hypophyse ! Mais pourquoi ça tombe sur nous ?

Dehors, il pleuvait, ce qui n'arrangeait rien à la montée d'adrénaline. Ébahi, je regardais les membres de ma famille se lancer corps et âme dans le tourbillon de l'émotion, de vrais Méditerranéens en chair, en gestes, en cinéma... La *commedia dell'arte*... L'ignorance totale des uns et des autres à propos de cette maladie décuplait leur fulgurante faculté à s'emballer, à s'emporter, à fondre en larmes, à se déchirer la peau des joues, à raconter n'importe quoi, au nom des pères fondateurs de la médecine, d'Hippocrate, des gourous marabouts du coin de la rue, de l'intuition personnelle forgée à radio-trottoir. Une tumeur à la glande hypophyse était devenue rien de moins qu'un cancer du cerveau ! En deux mots : cancer et cerveau. Ce n'était pas *au* cerveau, mais *du*, ce qui aggravait infiniment l'énoncé. L'expression était évocatrice, bien moins technique et beaucoup plus suggestive que « tumeur à la glande hypophyse », d'autant que personne ne savait ce qu'était cette glande, où elle se trouvait et par où elle était passée pour arriver là où elle s'était fourrée, dans le cerveau ou près des testicules, on en ignorait tout. Et que signifiait le mot « tumeur » ? Il ressemblait tant à « tu meurs » ! Le père n'avait probablement aucune chance de s'en sortir puisque « quand tu l'as, tumeur ».

Quant au mot «hypophyse», n'en parlons pas. Pour la plupart d'entre nous, y compris moi, c'était la première fois qu'on le rencontrait. Je reconnais *a posteriori* que sa consonance avait quelque chose de terrifiant.

L'émotion passée, la bête étant dénichée, il restait à la débusquer à l'intérieur du cerveau de mon père. Après plusieurs examens au scanner, un professeur de médecine, qui avait fait de la glande hypophyse le combat de sa vie, exposa sa vision des choses. Devant tous les frères et sœurs réunis dans son bureau ovale, il nous fit un dessin sur un tableau : deux voies s'ouvraient devant nous, ou bien nous acceptions le principe d'une opération chirurgicale importante pour éliminer la tumeur, ou bien elle allait grossir et il y aurait alors un sérieux risque de cécité pour le père…

– C'est quoi ce truc, «cécité» ? questionna naïvement une de mes sœurs spécialiste ès *grande hypophyse*.

– C'est le fait qu'il perde la vue, asséna le professeur, et qu'il finisse ses jours dans le noir.

Charmant ! Comment laisser opérer un homme de quatre-vingts ans qui avait passé la moitié de sa vie désarmé dans la misère coloniale en Algérie et l'autre moitié dans le béton armé en France ? Il n'avait guère de chance d'en sortir. Mais d'un autre côté, comment le laisser s'aveugler et qui s'occuperait de lui dans le noir ? Le dilemme méritait réflexion. Chacun avoua son impuissance et s'en remit à Dieu. Ah, le bon Dieu ! Il était toujours d'un secours irremplaçable quand la gouaille ici-bas avait épuisé ses modestes ressources analytiques et décisionnelles. En attendant une délibération familiale, le médecin donna des comprimés de cortisone destinés à atténuer les maux de tête du patriarche.

Les jours passaient et aucune décision n'était prise. Qui pouvait assumer une telle responsabilité ? Les téléphones ne sonnaient plus, on ne se rendait plus visite, on se calfeutrait chez soi. Chacun devinait que la situation avait la gueule d'une pièce truquée lancée en l'air «pile tu es mort et face tumeur».

Cependant, à notre grand étonnement, notre père cessa progressivement de se plaindre des attaques de cerveau. Il n'était pas devenu aveugle et il était parfaitement autonome comme il l'avait toujours été. Chaque jour, il continuait de se rendre à la mosquée du quartier, il n'avait jamais confondu avec la synagogue toute proche, engoncé dans ses couches de pulls, de vestes et de manteaux d'hiver, en compagnie de sa canne qui ne le quittait plus.

L'orage ayant miraculeusement cessé, la smala décida de prendre rendez-vous avec un autre médecin pour éclaircir le mystère de la guérison. C'était une femme. Quelques jours plus tard, elle me convoqua dans son bureau et m'accueillit avec les radiographies de la glande hypophyse qu'elle tenait entre les mains.

– La tumeur s'est résorbée d'elle-même, sous l'effet de la cortisone, annonça-t-elle, surprise et heureuse pour nous.

Elle ignorait comment un phénomène aussi inhabituel s'était produit. Puis, au bout d'un moment, elle me fit cette déclaration, les yeux dans les yeux :

– En fait, il devait traîner cette tumeur depuis très longtemps, vingt ou trente ans, peut-être…

Elle reluqua de nouveau la radiographie et poursuivit froidement.

– Cette tumeur… entraîne généralement l'impuissance masculine…

Elle hésita, laissa passer un temps, avant de conclure :

– … il faudrait demander à votre père s'il n'est pas impuissant depuis… disons une vingtaine d'années.

Et elle se tut définitivement. Je la tins bien dans ma ligne de mire, puis regardai mon père latéralement. Il s'énervait de ne rien comprendre au langage sophistiqué du médecin et il avait cessé d'écouter.

– Qu'est-ce qu'elle a dit, là, cette vieille peau de vache ? il me fit en arabe. Avec la bouche qu'elle a, elle ne peut qu'éjecter de mauvaises choses.

Je reluquai de nouveau le blanc médecin. Pensait-elle vraiment que j'allais m'enquérir auprès de mon père de la date de sa dernière érection, moi son propre fils, né d'une de ses érections ? Comment pouvais-je oser pareille question, moi qui n'avais jamais vu un poil de jambe de mon père ?

– Je ne peux pas, dis-je à la dame.

Elle releva lentement son nez de la radio.

– Pardon ?

– Je ne peux pas.

– Vous ne pouvez pas quoi ?

– Je ne sais pas.

Elle ôta ses lunettes.

– Mais, excusez-moi, je… vous ne savez pas quoi ?

– Je ne peux pas interroger mon père sur ce que vous m'avez demandé de lui demander.

– Comme vous voudrez.

Elle se froissa.

D'un geste sec, elle replaça la radio dans une grande enveloppe et me la remit. Elle proposa que nous revenions dans un mois pour faire un dernier examen et c'était tout. L'affaire était classée sans suite et sans dommages. Elle se leva et disparut derrière son bureau.

C'était notre Noël.

Dans la rue, j'expliquai à mon père que sa maladie avait fait ses bagages clandestinement, comme par enchantement.

– Ils ne vont pas m'opérer, alors ?

– Non.

– Et je ne vais pas devenir aveugle ?

– Non plus.

Il remercia Dieu. C'était un beau cadeau qu'il lui faisait là. Pour célébrer cette victoire, je lui proposai d'aller manger quelque chose dans un restaurant. Il déclina l'offre.

– Il y a beaucoup de nourriture dans notre frigo. Pourquoi aller donner notre argent à un restaurant?

Alors nous rentrâmes à la maison, heureux de vivre, en chantant *I'm singing in the rain* sur le trottoir. La mort s'était retirée de notre passage pour quelque temps. Mon père était le plus fort. Tu meurs!

*

Dès mon retour à Lyon, je courus dans la cité où se trouvait l'appartement de mes parents. Ma mère brûlait d'impatience de me voir et elle avait allumé des feux de joie autour de son cœur. Elle était seule dans ce grand logement de cinq pièces qui n'avait jamais cessé de s'agrandir depuis que les enfants avaient quitté le domicile familial pour cause de mariage ou de volonté d'envol des uns et des autres. La chambre où j'avais dormi le temps de mon adolescence, encore tapissée du même papier, jaune moutarde avec des roses pour motifs, servait à présent de salle de prière. Cinq fois par jour, mon père et ma mère y déployaient leur petit tapis, au milieu de divers objets décoratifs rapportés de leur voyage à La Mecque. Les autres chambres ne servaient plus à rien, mis à part celle de mes parents. Elles dégageaient aujourd'hui une atmosphère de musée désaffecté, habillées des mêmes papiers peints bon marché depuis plus de trente ans, lavables, toujours impeccables.

Dans le salon trônait encore un buffet en bois que j'avais rapporté d'une vente aux enchères à l'occasion de mon premier boulot estival. À dix-huit ans, je rêvais de voir dans notre appartement un tel meuble avec des vitres coulissantes, bien luisant de cire, dans lequel ma maman pourrait exposer tous les bibelots qu'elle avait accumulés au cours de son existence. Je l'avais obtenu pour pas cher, avec une table et quatre chaises assorties. Il tenait le coup depuis presque trois décennies, certes déformé à l'endroit des pieds sous le poids des années et de l'accumulation de bibelots, mais bien debout, vivant souvenir de notre entrée dans la société de consommation. Au-dessus du buffet, un immense portrait de l'enfant de la famille devenu écrivain se dressait comme un étendard. Je l'avais rapporté d'un Salon du livre. Comme on allait le jeter à la poubelle à la fin des festivités, j'avais refourgué à mes parents cette image qui représentait à leurs yeux le plus beau symbole de l'espoir.

Ma mère était rivée à la télévision. Quand elle me vit entrer, elle tendit les bras vers moi, sans bouger de son fauteuil et je me jetai dedans. Elle m'embrassa de partout, me prit les deux mains, les plaça sur ses joues, les embrassa de nouveau. J'avais honte de lui avouer que je reprenais l'avion pour le Maroc dès le lendemain. Passée l'exaltation des retrouvailles, je m'informai de l'état de santé du père et des autres membres de la famille. Fataliste, elle me répondit que tout allait pour le mieux. Nous avions ainsi fait le tour de ce qui nous était encore commun en douze secondes. C'était cela aussi que j'appelais mon départ, ce trou qui s'était creusé entre ma smala et moi, même s'il est vrai que nous n'étions pas obligés de nous parler pour nous témoigner de l'amour, la présence suffisait.

Je m'allongeai sur le fauteuil et m'endormis d'un profond sommeil.

*

Au milieu de l'après-midi, je garai ma voiture devant la clinique du Dôme et je me présentai à l'accueil pour demander le numéro de chambre de mon père. C'était la 33. Je montai les marches de l'escalier quatre à quatre. Comme dans le hall de mon immeuble, une odeur de renfermé emplissait les lieux. Une odeur de mort. Je détestais les hôpitaux. J'y étais allé trop souvent dans ma vie et, de plus en plus clairement, je préférais les balades à la campagne, en mai ou en juin, au moment précieux où les lilas et les cerisiers font la fête au-dessus des champs de colza. Retenant ma respiration, je traversai un long couloir glauque. Dans l'entrebâillement de quelques portes de chambres, j'aperçus des malades sur leur matelas, souvent des vieux, dont l'ossature, le col du fémur, la cheville ou le genou, pliait dangereusement sous le fardeau de la longue marche déjà accomplie autour de la terre. Mais aussi quelques jeunes garçons, victimes de leurs dix-huit ans impétueux.

Face à la chambre 33, je poussai tout doucement la porte. Je voulais faire une surprise à mon père. D'abord, c'est son voisin que j'entrevis, sur le lit près de la fenêtre. Il détourna son regard de la télévision, m'observa pendant que j'entrais, puis indiqua le lit de mon père du menton, comme si je risquais de le manquer. La première vision me propulsa en arrière d'un pas, comme une explosion de gaz. Abboué était à peine reconnaissable, plié en deux sur son lit redressé à cent vingt degrés, affublé d'une simple blouse blanche, le visage amaigri, gémissant comme un animal blessé. Je me suis approché pour l'embrasser, mais la brume était trop épaisse autour de son visage et sa souffrance si aiguë qu'il ne pouvait même pas feindre de m'accueillir dignement. De près, des taches de sang ou de vomi sur son oreiller montraient l'état d'abandon dans lequel on l'avait laissé. La colère enfla en moi. Qui avait laissé mon papa dériver à ce point ? On appelait ça un hôpital ? Une clinique ?

– Ça va, Abboué ?

Premiers mots, piteusement décalés par rapport à l'incroyable évidence allongée face à moi.

– Il a souffert toute la nuit, m'informa la voix rauque du voisin. Je n'ai pas pu dormir. Il hurlait comme une bête.

Je ne savais quoi rétorquer. Fallait-il que je m'excuse ? Ignorant ce provocateur, je me recentrai sur l'état de mon père, dont les yeux étaient noyés dans le brouillard, translucides. Une substance gélatineuse avait entièrement recouvert ses pupilles et donnait à son regard un air d'aveugle. Je ne savais s'il me voyait.

– Abboué, je suis là. Qu'est-ce qui ne va pas ? je fis de nouveau.

Tout en cherchant à rester digne, il essaya d'envoyer sa main vers son entrejambe, sans parvenir à parler, sa bouche s'écaillait à cause de la sécheresse. Les mots crevaient comme des ballons, à peine passée la barrière des dents qui lui restaient. Finalement, il retira sa main pour la placer sur la barre du lit qu'il serra de toutes ses forces dans l'espoir d'exorciser son mal et se mit à appeler sa mère à la rescousse, criant son nom dans la nuit des temps, l'implorant de venir abréger son calvaire.

Je l'encourageai encore à me parler, moi son fils, j'étais là à présent, j'allais m'occuper de lui.

– Pisser… Je n'arrive pas à pisser, il parvint à bafouiller. Ça me brûle comme un tison. Pisser… Pisser…

Des larmes gélatineuses venaient fondre sur ses lèvres craquelées. Il replaça sa main sur son bas-ventre pour colmater l'incendie dans ses entrailles.

Paniqué, je jetai un coup d'œil sur le voisin. Il en profita pour me répéter que le cinéma avait duré toute la nuit, qu'il aurait bien aimé qu'on le change de chambre, parce que vous comprenez, lui aussi avait droit à la tranquillité. Je lui coupai sèchement la parole.

– Il n'y a pas d'infirmières, ici ? Où sont-elles, nom de Dieu ?

Miracle, enchantement, une jeune infirmière entra sur la pointe des pieds, belle Saharienne d'une vingtaine d'années, me lança un bonjour anodin et entreprit de faire le lit de mon père. Ses gestes étaient tellement mécanisés et rapides que j'avais du mal à trouver un créneau pour lui mettre la vérité en face des trous.

– Mon père est en train de souffrir, beaucoup… réussis-je à placer, je ne sais pas si…

– Mourir ? sourit-elle.

– Non, j'ai dit souffrir !

Tout en continuant son tour du lit, réajustant les draps, elle me regarda et écarta les narines.

– C'est vous l'écrivain ?

– Oui, je… fis-je surpris, mais…

– Je le savais !

– … et lui c'est mon père, c'est…

– Je le savais !

– … le héros de mon roman, vous savez…

Elle frappa sur l'oreiller plein de taches, sourcilla, décida de changer la taie.

– J'ai tout lu de vous ! Mais ce qui s'appelle tout ! Au

collège, le prof de français aimait bien vos livres… C'est drôle de vous retrouver là… En voyant le nom de votre père, ça m'avait rappelé le vôtre, alors je me suis permis de lui demander si vous étiez de la même famille…

Tandis qu'un débat littéraire du troisième type s'instaurait autour de lui, mon père continuait tranquillement de se contorsionner dans son lit, en implorant sa mère. C'était la première fois que je le voyais appeler sa maman, d'ailleurs il n'en avait jamais parlé, à peine s'il l'avait connue. À maintes reprises, durant mon adolescence, j'avais essayé de lui tirer des informations sur mes aïeux. Hélas, il ne connaissait pas grand-chose de sa propre histoire et ne pouvait guère transmettre d'héritage culturel familial. J'en avais conclu que c'était aussi ça, la pauvreté, avoir peu à répondre à ses enfants quand ils posent des questions sur leurs ancêtres, leur arbre généalogique, ou bien ne pas sentir l'intérêt d'en parler. Mes parents avaient vécu des choses si cruelles dans leur enfance que, pour se protéger, ils avaient détruit en eux tous les germes de souvenir, les braises qui pouvaient un jour les trahir. Mais peut-être aussi leur était-il difficile de mettre des mots sur les idées pour les évacuer, c'était pour eux comme puiser de l'eau au fond d'un puits quand on n'a pas de seau au bout de la corde.

– Vous pouvez appeler le médecin de garde, s'il vous plaît ? Mon père a vraiment besoin d'aide…

– Ne vous inquiétez pas, il n'y a pas d'urgence. Je suis stagiaire, mais j'ai l'habitude.

Sans excès de précipitation, la jeune fille cessa de s'exciter sur le lit, frappa deux coups sur le matelas, rangea ses mains dans ses poches et sortit de la chambre, promettant de voir si elle trouvait quelqu'un de disponible.

Je tentai de rassurer mon père. Le pauvre essayait de

se tourner dans un sens puis dans l'autre pour trouver une position qui le soulagerait. Il me supplia de baisser le lit, ce que je fis, puis de le remonter, ce que je fis aussi. En vain, aucun angle n'atténuait son supplice.

– C'est là, gémit-il, en me désignant son bas-ventre. Ça fait deux jours que j'ai pas pissé, ça me brûle. Ça me tue.

Ses sanglots brumeux reprirent de plus belle. Sa bouche était aux abois. Ses mains agrippées à la barre du lit cherchaient à broyer l'acier.

– Et qu'est-ce que vous écrivez comme romans ? m'envoya le voisin d'à côté qui se trouvait à mille lieues du terrain de bataille de mon père.

Je virevoltai et me précipitai hors de la chambre en courant. Il n'y avait plus une seconde à perdre, mon père glissait dans la dernière ligne droite, une chance que je sois arrivé à temps.

Le couloir verdâtre était désespérément vide. J'ouvris un bureau. Vide. Un autre : une femme de ménage, assise sur son seau, fumait en douce, elle n'eut même pas le temps de s'excuser. J'ouvris une autre porte : une infirmière, assise à une table, remplissait des papiers.

– Excusez-moi, je voudrais voir un médecin de toute urgence, c'est pour mon père…

– Quelle chambre ?

– 33.

– Ah…

Elle porta la main à ses cheveux, trahissant sa gêne, avant de poursuivre :

– … allez voir dans la salle, là-bas, où l'équipe d'infirmières est en réunion, elles vous diront…

Négligeant la fin de sa réponse, je fonçai déjà vers la salle, frappai et ouvris la porte dans le même élan. Elles étaient installées sur des chaises disposées en cercle, en conciliabule, une sorte de secte secrète jouant aux dés le sort des malades. Elles se retournèrent vers moi, simultanément, pivotant lentement, comme si elles attendaient ma venue. Il me sembla un court instant que les cavités de leurs yeux étaient vides. Des femmes sans vision. Je grimaçai de dégoût. Dans quelle langue fallait-il s'adresser à elles ? J'essayai le français.

– Excusez-moi, mon père est au plus mal, et je ne sais pas quoi faire.

Je lançai l'information à la mêlée, aucune d'elles n'émergeant en particulier.

Elles avaient déjà préparé leur réplique.

– Quelle chambre ?

– La 33.

– Il ne veut pas prendre ses médicaments et en plus il est agressif avec moi, me renvoya techniquement une voix.

Les visages me ciblaient, impassibles.

J'étais mort de peur. Qui étaient ces femmes réunies ?

– Mais… qu'est-ce que je dois faire ?

Les créatures en blouse blanche se recalèrent dans leur position initiale, orientées vers l'intérieur du cercle, et reprirent le fil de leur macabre discussion. Moi, je restai là, la porte collée à la main, entre deux temps. Le silence m'enfonçait dans sa vase. De lourdes secondes s'égrenaient au ralenti, le temps pour moi de discerner un murmure qui suintait du milieu du cercle des dames et qui disait de « laisser faire les choses, laisser faire le temps. Les destins qui doivent s'accomplir ne peuvent être tenus en laisse ».

Mais pourquoi ma main n'arrivait-elle pas à lâcher cette putain de porte ? C'est la poignée qui me tenait. Ahuri, je comprenais à demi-mot ce murmure, ces yeux évidés, le cercle surréaliste de fausses infirmières. Non, je n'allais pas abdiquer. Dans un effort rebelle, je réussis à dessouder ma main de la poignée. Mon père avait besoin d'aide, j'allais tout faire pour qu'il s'en sorte, n'en déplaise à ces sorcières de la nuit en voile blanc.

Constatant ma pugnacité, sentant mon amour filial, une infirmière – la diablesse en chef – brisa le silence. Sa voix d'outre-tombe était givrante.

– Faites-lui avaler les deux comprimés jaunes qui sont sur sa table de chevet, c'est contre la douleur...

– Contre la douleur ? repris-je machinalement.

– Oui, il refuse de les prendre. Si vous y parvenez, il se sentira mieux. Moi, j'ai fait ce que j'ai pu.

– OK, merci.

Tout doucement, je refermai la porte et je courus de nouveau dans le couloir pour retrouver mon père, croisai le voisin qui, à moitié nu, trimbalait sa carcasse boiteuse à la recherche d'un responsable de chambrée. Il voulait changer de voisinage à tout prix, ce soir, sinon ça allait chauffer à la clinique du Dôme, il avait des connaissances haut placées.

En passant, il osa me redemander quel type de romans j'écrivais.

Mon père se torsadait sur son lit. Le drap avait glissé à terre. Il tenait bizarrement entre les mains le récipient dans lequel il était censé faire pipi et avait plongé sa tête dedans, comme s'il allait boire de ce liquide. Je criai en levant le bras en l'air pour freiner son geste.

– Mais qu'est-ce que tu fais là ? Arrête !

Il fut surpris par mon cri d'alarme, leva la tête vers moi comme s'il ne se commandait plus lui-même.

– Tu allais boire ça ?

Il observa l'objet.

– C'est de la pisse !

D'un geste sec, je saisis le récipient et le reposai au pied du lit. Il était vide. Je pris la tête de mon père dans mes mains et l'informai qu'il n'y avait qu'une seule solution pour le calmer, c'était d'avaler les deux gélules que j'avais entre les doigts, l'infirmière en chef me l'avait garanti.

– C'est une raciste…

J'avais du mal à comprendre ce qui sortait de sa bouche.

– Quoi ?

– Elle est raciste… elle m'a frappé.

– Quoi ? Elle dit que c'est toi…

Il rota en guise de réponse. Un rot caverneux, évacué en forme de diarrhée, qui en disait long sur la gargouille dans ses conduites.

J'insistai pour lui faire avaler ces saletés de médicaments, sans même savoir ce qu'ils contenaient. Quand il posa ses doigts dessus, il faillit vomir.

– Je ne peux plus avaler ces trucs, il avoua, épuisé. Je ne peux plus.

Il était débordé. Il se mit de nouveau à pleurer en me suppliant d'apaiser sa souffrance, il pouvait à peine avaler de l'air, comment pouvait-il supporter encore des gélules longues comme des balles de carabine. De force, je l'empêchai de sombrer, il fallait qu'il les avale, je soulevai sa tête par-derrière, insistai encore, je n'avais pas d'autre option.

– Au moins une. Allez, vas-y, essaie. Juste une.

Je tenais fermement une gélule dans la main et un verre d'eau dans l'autre. Finalement, réunissant ses ultimes forces, il ouvrit la bouche et ingurgita le médicament, juste pour me faire plaisir, parce que j'étais son fils, sinon il n'aurait jamais introduit ces petites bombes jaunes dans son corps déjà gorgé de produits toxiques. Il rota encore bruyamment, vomit un peu et se calma. Je reposai en douceur sa tête sur l'oreiller, ses paupières s'affaissèrent de nouveau, ses lèvres s'agitaient nerveusement, comme s'il était en conversation avec quelqu'un, sa maman certainement. Il s'endormit. J'en profitai pour m'éclipser en douce. Je devenais inutile dans cette chambre d'hôpital. J'avais accompli mon devoir.

Je jetai un dernier regard sur lui et refermai la porte, délicatement, pour le laisser en paix.

Peggy Sue, Peggy Sue. Une pensée me parvint du pauvre Buddy Holly mort à vingt-deux ans dans un trou de l'Iowa. Mine de rien, mon papa *présumé né* en 1913 dans un bled perdu du département de Sétif, Algérie, frôlait la barre des quatre-vingt-dix ans. Quelle que soit l'issue de la bataille, c'était déjà une belle performance vitale. Les pauvres aussi pouvaient vivre vieux.

– Adieu, monsieur l'écrivain, me lança le voisin qui retournait dans la chambre.

C'était ironique, bien sûr.

– Oui, c'est ça, adieu monsieur, je répondis pour rester poli et ne pas lui laisser un trop bel argument pour dénigrer les gens de ma smala.

Et puis il ajouta «bon vent».

*

Lubbock, Paris, Lyon. Clinique du Dôme. Le lende-main, je me retrouvais dans un autre fuseau horaire, à Tanger au Maroc. J'étais un hérisson électrique. Tous mes indicateurs de bord viraient au rouge. La bouche de mon père appelant à l'aide sa maman me hantait et les râles repassaient en boucle dans ma tête.

Voyageant sans bagages, j'étais le premier surgi dans la salle d'attente de l'aéroport, face à la foule des gens qui guettaient l'arrivée de leurs proches derrière les portes de verre coulissantes. Je m'approchai des grappes de visages, fixant les anonymes. Quelqu'un allait cer-tainement émerger de la masse et crier mon nom dans une seconde, deux, trois. Que nenni ! La tension montait. Déjà, je regrettais d'avoir accepté de participer à cette conférence sur le Tabou et le Sacré, moi qui avais suivi des études d'électrotechnique, de sciences économiques puis de sociologie urbaine. Je serrais rageusement les poings pour enfoncer mes ongles dans ma peau et me punir de ma stupidité.

L'aéroport se vida. Finalement, tous les passagers m'avaient doublé et je me retrouvais en clandestin en Afrique, sans numéro de téléphone à appeler, sans une adresse, sans même un nom. Je savais juste que nous devions parler du Tabou et du Sacré. Un comble… Fata-lement, j'allais bientôt attirer l'attention. De quoi aurais-je l'air quand un agent des renseignements généraux m'interrogerait en exigeant des précisions sur mon activité professionnelle ? « Croyez-moi, monsieur l'agent, je m'occupe de Tabou-Sacré ! » Pire, je n'avais pas un centime en poche. Bien entendu, ça ne rata pas : jugeant mon comportement suspect, un policier s'approcha de moi pour m'inviter à évacuer les lieux. Je me débattis. Ouvrant ses bras comme pour diriger un troupeau de moutons ou une équipe de poules, il me botta en touche dans la foule. Je craignais de me retrouver au milieu des chauffeurs de taxi et des porteurs de valises qui allaient me harceler, déchirer mes vêtements, me pousser dans une voiture et m'emmener dans un terrain vague pour me dépouiller. J'étais sur le point de fondre en larmes quand une voix d'Italie claqua dans la salle, criant mon nom. C'était une belle femme blonde, la cinquantaine sportive, accompagnée d'un homme de type nord-africain, comme on disait dans les journaux français des années soixante-dix. Elle accourut vers moi, souriante, m'étreignit, sans calculer l'effet de sa ferme poitrine sur mon torse.

– Comment ça va ? Tu ne me reconnais pas ?

En un quart de seconde, j'envoyai un ordre de recherche de toute urgence à ma mémoire. En vain. Les retours étaient négatifs. Voulez-vous élargir la recherche ? Certes, j'aurais volontiers élargi, mais comme je n'avais aucun souvenir de cette dame, il fallait que je la laisse parler pour commencer à en avoir. Elle, elle me connaissait. À ses côtés, l'ITNA (Individu de Type Nord-Africain) souriait bizarrement. Il avait une toute petite tête. Il me tendit sa main, que je serrai nerveusement.

– Palerme, tu ne te souviens pas ? En 1992... je suis Carmen.

La blonde tentait de m'aider à recoudre mes temps déchirés.

– J'ai écrit un article sur toi, je te l'ai envoyé...

Les images me revenaient, vaguement.

L'ITNA intervint.

– Allez on y va. Tu n'as pas de valises ?

– Non.

– Dommage, tu aurais pu sortir plus tôt, nous sommes là depuis deux heures ! L'avion de Carmen est arrivé de Rome avant le tien…

– Deux heures ? Mais vous ne m'avez pas vu sortir ?

– Non.

Je me giflai intérieurement.

– Mais pourquoi vous n'avez pas de panneau avec mon nom ? C'était plus facile, non ?

Face à mon ton agressif, l'ITNA fit un effort pour retenir une réaction violente.

– C'est de ma faute, admit Carmen. Je croyais que j'allais… et tu as tellement changé…

Mon corps eut un soubresaut. Carmen n'apprécia pas, elle qui se faisait un tel plaisir de me revoir après tant d'années.

– Tu as toujours de l'humour, c'est ce que j'apprécie beaucoup chez toi. D'ailleurs, j'avais fait un article sur ça dans la revue de littérature. Tu l'as reçu, j'espère ?

– Oui, je m'en souviens très bien maintenant.

Un beau mensonge. Bien prononcé. Sans bégayer.

– L'humour c'est *Sacré*, poursuivit-elle, je vais parler de ça dans ma conférence sur le *Tabou*…

L'ITNA nous conduisit dans sa BMW rutilante vers le lieu du colloque, au bord de la mer. Le gueux possédait une voiture sacrément belle. Comment avait-il pu s'offrir pareil luxe ? Ce n'était pas son job de chauffeur d'écrivains qui l'avait enrichi à ce point… Il devait être multicartes, travailler jour et nuit, treize mois sur douze, il devait posséder une épicerie-droguerie spécialisée dans les blanchissements, blanchiments et blanchissages en tous genres. Mais il parlait plutôt bien le français pour un simple chauffeur, avec des mots sortis de derrière les fagots. Devait être lecteur, certainement.

Je vérifiai au compteur : il roulait à cent cinquante kilomètres-heure. La nuit précoce était descendue sur le paysage, une nuit rouge-verte, qui mélangeait les hauts et les bas, le connu à l'inconnu, noyait le ciel dans la mer et, dans cet entre-deux, on avait du mal à dissocier les lumières des étoiles de celles des bateaux de pêcheurs qui s'évaporaient dans le large. La route n'était pas éclairée. Pire que cela, de temps à autre, on apercevait des lucioles loin devant nous, leur pâle clarté faisait penser à des étoiles mourantes, et quand notre bolide les doublait, les formes se précisaient, se muaient en vélomoteurs pilotés par des ombres roulant tous feux éteints. Notre ITNA les dépassait sans même les regarder, les frôlant à quelques centimètres. La force du déplacement d'air devait certainement les faire valdinguer dans les fourrés.

– C'est dangereux de rouler sans lumière, alerta Carmen, solidement attachée sur le siège arrière.

L'ITNA lui lança un regard transversal *via* son rétroviseur intérieur et s'offrit le luxe d'un sourire : il avait déjà expédié quelques malheureux dans le fossé à l'aide de son rétro extérieur ! Je trouvais cet individu de plus en plus méprisable. Mais pourquoi diable n'étais-je pas resté tranquillement chez moi à m'occuper de mon père ? De nouveau je me giflai et me pinçai les cuisses.

À notre arrivée à l'hôtel, tout le monde avait dîné. La plupart des invités étaient allés se coucher. L'organisatrice du colloque, Nora, encore une belle femme de la Méditerranée, m'accueillit avec des bises et des louanges et me présenta sa collègue qui avait activement participé à la tenue de la conférence, une certaine mademoiselle Miriam, dont l'apparence physique provoqua aussitôt en moi une étrange onde de choc. Elle avait les cheveux coupés très court et un air sévère sur le visage.

Nora avait tant entendu parler de moi… Deux de ses

étudiantes étaient même en train de préparer des travaux de fin d'études sur mes romans.

– Une star ! m'envoya Miriam sur un ton mi-figue mi-pastèque.

J'appréciai peu la réplique et le montrai d'un regard incandescent. Nora s'empressa de meubler le silence et demanda si le voyage s'était bien passé, elle nous attendait plus tôt. Carmen tenta de s'excuser de nouveau. De mon côté, j'expliquai mon état de nervosité par des contorsions ventrales qu'on pouvait attribuer au décalage horaire, et je dis deux mots sur l'état de santé de mon père. Nora compatit, me remercia encore d'avoir fait l'effort de venir et m'invita à prendre une salade en guise de collation.

– Avec un verre de vin rouge, si j'ose.

J'osai.

– Il n'y a pas de problème, plaça Miriam, on n'est pas en Arabie Saoudite, ici.

Nous étions en effet dans un hôtel international, dans un fuseau horaire, entre gens du concept. Très loin de La Mecque. Des années-lumière. Le jus de raisin pouvait fermenter en toute sérénité et couler à flots, en bouteille ou en berlingot si cela lui plaisait. Ou presque... Le maître des lieux expliqua qu'il ne pouvait servir que des demi-bouteilles de vin. Pas au verre. À moins que... Il allait faire un geste commercial et voir s'il ne restait pas un fond de bouteille du dîner.

– Non, non, ça va, coupai-je. Je prends une demi-bouteille. Je pense que je la finirai sans forcer.

Un peu plus tard, je me retrouvais dans ma chambre coquette, sur un bon matelas, en train de déguster une salade niçoise, accompagnée d'un bon vin gorgé de soleil local. La vie n'était pas si pluvieuse que cela. Quelques rayons de bonheur parvenaient quand même à percer la grisaille du hérisson.

Le lendemain, le colloque démarra sur les chapeaux de roue. La salle était comble. Quelque deux cents personnes accros du Tabou et du Sacré en littérature, comme d'autres l'étaient de la glande hypophyse en médecine, se serraient les unes contre les autres, en attendant l'ouverture officielle des débats par un éminent professeur de linguistique, local certes, mais à la réputation internationale affirmée, et de surcroît président de l'université qui nous accueillait, un certain monsieur Amrani. Ce nom ne me disait rien, tout au plus le trouvais-je en résonance avec le fameux parfum italien Armani que je portais sur moi.

L'hôtesse qui m'avait accueilli la veille monta sur scène, fort élégamment vêtue d'un tailleur Chanel, remercia tous les sponsors qui avaient permis l'organisation de ce colloque, ajouta quelques commentaires sur le sujet, avant d'inviter l'illustre professeur Amrani à venir la rejoindre. Un homme se détacha de la foule et monta sur l'estrade. Je faillis tomber à la renverse et m'étouffer. L'imminent personnage qui allait introduire scientifiquement le programme n'était autre que mon ITNA ! La honte me submergea. Ma tête s'affaissa sur mon menton, puis s'écrasa sur mon cou. De stupeur, j'en lâchai la sacoche en cuir marocain qu'on m'avait distribuée à l'entrée de la salle. Comment avais-je pu me méprendre à ce point et croire que cet individu était simple gueux, chauffeur de personnalités et blanchisseur occasionnel d'argent de la droguerie ?

Le hérisson resurgit, en caleçon. Je voulais me voir nu, les membres écartelés, livré à un bourreau qui me fouetterait pour me punir de mon arrogance. C'était bien fait pour moi. Je comprenais maintenant pourquoi le bougre pilotait une voiture allemande de si forte puissance ! C'était grâce à son érudition et à sa classe intellectuelle. Je mis les mains sur mon visage pour ne pas y croire. À ma droite, Carmen arborait un sourire toutes dents dehors. Constatant ma décomposition, elle demanda si la nuit avait été bonne. Je répondis que la nuit n'avait rien à voir avec mon changement de teint. Sans relever ma réponse, elle souleva son menton vers Amrani qui s'était lancé dans un festival de citations de célébrités de la linguistique et de la psychologie, sans même lire ses notes. Cet homme était un tribun de première classe. J'aurais dû m'en douter en entrant dans sa BMW, les mots qui sortaient de sa bouche me paraissaient en décalage par rapport à sa tenue vestimentaire et à son port de tête nonchalant.

– Il est pas mal, hein ? me fit Carmen. C'est une grosse tête.

Et moi j'étais une vraie tête de con. Je me flagellai un peu plus intérieurement.

J'écoutai avec délectation l'introduction du professeur-président de l'université Amrani. Plus qu'un sociolinguiste, c'était un véritable conteur africain. J'étais médusé, sous le charme, ensorcelé. Dans ses griffes aussi, car, c'était incontestable maintenant, le type allait me faire payer cher mon irrespect à son égard, ma prétention d'écrivaillon de poche, ni d'ici ni d'ailleurs, qui prenait ses vessies pour des lanternes.

Je rongeai les ongles de mes mains jusqu'au sang, transpirant dedans et dehors.

En écoutant l'éminent orateur, une étincelle éclaira magiquement mon cerveau : je venais de trouver le sujet de mon intervention à la table ronde de l'après-midi avec les soi-disant écrivains. Je parlerai de sexe. En voilà un thème tabou chez nous ! On ne pouvait trouver mieux. C'était gagné d'avance, j'allais parler de l'éducation ultra-puritaine que j'avais reçue dans ma famille de paysans immigrés d'Algérie, qui prohibait toute allusion aux affaires sexuelles dans l'espace public et privé. J'allais raconter comment, dans mes romans, j'étais parvenu à évoquer ce sujet uniquement parce que mes parents étaient analphabètes. Comme ils ne pouvaient pas me lire, j'étais libre de m'en donner à cœur joie, de délirer sans retenue sur les verges et les vagins, les érections, les clitoris, le mouillage, l'ancrage et tutti quanti. En plus, c'est sûr, j'avais là matière à faire un peu d'humour, ce qui ne manquerait pas de plaire à Carmen et au public.

À la fin de la conférence introductive du TGPU (Très Grand Professeur d'Université) Amrani, je fus parmi les plus fervents supporters dans la salle. Mes mains applaudissaient d'elles-mêmes, tellement elles avaient honte pour moi et besoin de se faire pardonner. Je me redressai même en *standingue ovationneur* pour déclarer mon enthousiasme. Le professeur me vit, sourit légèrement et se leva pour quitter l'estrade.

L'heure du déjeuner avait sonné. À l'issue du flot ininterrompu de paroles, les estomacs réclamaient leur part du gâteau. Après l'avoir surveillé dans tous ses mouvements, j'allai m'asseoir à côté de mon ITNA devenu en quelques heures une sommité de la sociolinguistique. En gentleman, il joua la distance.

– Je t'ai entendu applaudir. Tu as aimé, apparemment ?

– Franchement, j'ai adoré. Je ne m'attendais pas à…

– À voir un Arabe parler de linguistique ! m'interrompit-il avant d'éclater de rire.

Autour de la table, les autres invités s'élancèrent à la suite de son rire avec un entrain qui me cloua sur place. Ils devaient sans doute se moquer de moi. Le professeur avait dû leur rapporter mon ignoble attitude à l'aéroport, lui qui avait eu la gentillesse de venir me chercher juste pour rendre service aux organisateurs, en me faisant profiter de son intérieur cuir, de sa conduite rapide et sécurisante. Et moi, écrivaillon merdeux fraîchement sorti de sa favela, je lui postillonnais au visage au motif qu'il n'avait pas brandi un panneau avec mon nom à l'arrivée de l'avion ! Je méritais bien les quolibets qui fusaient.

En vérité, le professeur et les autres riaient gratuitement, avec une spontanéité méditerranéenne. J'esquissai un rictus de débile, moi aussi. Soudain, le boss revint à lui, suivi de sa cour, et, comble de la délicatesse, s'enquit de la santé de mon père. Je dis que je n'avais pas encore téléphoné, par peur d'apprendre une sale nouvelle.

– Je sais ce que c'est, mon père à moi est parti l'année dernière.

Je n'ajoutai rien. Je terminai le café qu'on venait de nous servir et quittai la table sans rien dire.

Je fis une sieste sur la plage, avant la table ronde de l'après-midi. J'étais dans un drôle d'état d'ensablement, si loin de chez moi, une nouvelle fois, si décalé. Pourquoi fuyais-je toujours ?

C'est Miriam qui vint me tirer de mon lit de sable. La table ronde allait commencer à tourner dans une vingtaine de minutes.

Nous marchions dans le couloir de l'hôtel quand elle me lança qu'elle n'aimait pas du tout mon dernier roman.

– Je te le dis tout net, je ne suis pas du genre faux cul. Ton écriture n'est pas sincère.

Pas sincère. Pas sincère. Mais pour qui elle se… ? Je lui trouvais une ressemblance avec les infirmières de la clinique du Dôme, sans regard. Avec le voisin de chambre de mon père qui m'envoyait des vérités bizarres, alors que je me battais contre les fantômes du paternel. Qui étaient ces lutins qui faisaient irruption sur ma route pour me taguer leurs messages ésotériques sur le front ? Difficile de les ignorer. Leurs mots se gravaient dans mon cerveau, malgré moi. Ils avaient une résonance, cela m'énervait au plus haut point, mais ils avaient une signification en dehors du temps, mon instinct me le disait.

– Tu n'as rien à dire ?

Elle insistait. Je laissai sa question en suspens. Le mot « sincère » m'irritait. Un écrivain n'a pas besoin d'être sincère pour écrire.

– Pas pour l'instant.

La table ronde réunissait une bonne quinzaine d'intervenants, une chance pour moi, cela limitait d'autant le temps de parole de chacun, dont le mien bien sûr. J'étais fortement intimidé par la présence du professeur Amrani qui s'était malicieusement glissé parmi le public.

Après les interventions de quelques-uns de mes collègues, dont la pertinence acheva de me déstabiliser, vint mon tour de parole. Je laissai passer un temps de silence pour capter l'attention du public. Les gens crurent que le trac me coupait le sifflet. Je me lançai enfin, la voix bien calée dans ma gorge…

C'est l'histoire d'un écrivain d'origine nord-africaine qui est invité aux États-Unis dans une grande université. Il est marié avec une Gauloise avec laquelle il a une fille d'un an et demi. C'est son premier séjour au pays des cow-boys et de Buddy Holly. Il est invité comme enseignant durant un semestre et peut venir avec sa famille. Mais, pour bénéficier du régime d'assurance offert gracieusement par l'université, il doit être marié, sinon ça coûte très cher de s'en payer une à titre personnel. Alors, deux semaines avant le départ, il épouse la femme avec laquelle il vit depuis quelques années sans autre contrat que celui de l'amour et de la jeunesse.

Les voilà aux USA en plein mois de janvier, dans un monde de cinéma grand écran, un univers pas du tout impitoyable où tout est facile, surtout les relations humaines. Ici, tout le monde vient d'ailleurs. Sur le campus, chaque pays a ses étudiants. Très vite, ils fréquentent des Arabes, notamment un Palestinien, Marwan, professeur de mathématiques. Plus américain qu'arabe, bien en chair, ses yeux bleus sont gênants quand on les prend de face. Il devient l'intime de la famille. Chaque jour, nous nous voyons, chez lui ou chez nous, mais plutôt chez nous à cause de l'ambiance familiale occidentale qu'il apprécie. Ma femme fait de rapides progrès en anglais, elle trouve ses marques dans cette société de communautés, fréquente le *French Club*, pendant que notre bébé est placé chaque matin au *day care*, la crèche du campus où elle apprend les réflexes de survie en disant *I want more crackers. More crackers!*

Au fil des semaines, Marwan devient mon frère et prend la place de Farid et Kader, mes consanguins. Il me prête sa voiture pour la durée du séjour et, en remerciement, je lui offre le remplacement de son pot d'échappement défectueux. Ce qui est à lui est à moi et vice versa. Toute sa famille venait de Saint-Jean-d'Acre au nord de la Palestine et y vivait encore. Il avait la hantise des Israéliens, bien que le patron de son département de mathématiques fût l'un de ses anciens professeurs de l'université israélienne de Jérusalem où il avait fait ses études.

Du reste, Marwan avait la nationalité israélienne, c'était un Arabe-Israélien, un Arabélien pourrait-on dire, un mélange explosif qu'on a du mal à comprendre quand on n'est pas du cru.

Au beau milieu du séjour, l'écrivain reçoit une super-nouvelle de Paris : pour la sortie de son dernier roman, il est invité sur le plateau d'une célèbre émission de télévision en France, il se met à planer. Un rêve d'enfant est en train de naître au creux de ses mains. Il plie bagages à la hâte, fonce à l'aéroport, embrasse sa femme, sa fille, ainsi que Marwan, et court vers la lumière. Il s'absentera pendant une semaine. C'est le démarrage de sa carrière.

À son retour, la suite du séjour à l'université américaine se déroule comme un conte des *Mille et Une Nuits*. Tout est parfait. Avec son salaire très correct, il loue une élégante Mercury Cougar qu'il utilise chaque fin de semaine pour visiter l'État de New York, la ville elle-même et les chutes du Niagara voisines. Leur fille apprend à bredouiller quelques mots en anglais grâce à ses bonnes fréquentations à la crèche. Chaque matin, dans la lumière sèche et blanche de l'hiver du coin, des écureuils viennent saluer et picorer des miettes de pain laissées sur le balcon. C'est l'*american way of life*. *We all now want more crackers!*

Quand le jour se lève, les fantômes retournent à leur hôtel et les rêves à leur place. Le nôtre s'achève un mois de mai. Mon contrat universitaire est arrivé à expiration. Pour célébrer le séjour, l'écrivain décide d'emmener sa femme en Californie, San Francisco, *for one week*. Excusez-les, ils sont tellement imbibés d'Amérique qu'ils parlent moitié-moitié ! Par pure coïncidence, ils retrouvent Marwan qui est là aussi pour une conférence sur les équations de Navier-Stokes, sa spécialité, à l'université de Berkeley. Le dernier soir, dans un restaurant de la métropole californienne, est celui des adieux. Marwan invite généreusement le couple avec sa carte de crédit, bleue comme ses yeux.

L'épouse de l'écrivain tombe malade à l'idée de retourner dans la froide violence de la société française. Elle s'était si bien accoutumée aux voitures qui freinent brusquement pour laisser la priorité au piéton qui a posé le pied sur un passage clouté, elle aimait tant ces immenses *malls* dans lesquels on trouvait tout et surtout ce qu'on ne cherchait pas, elle participait avec bonheur aux *parties* que des *friends* organisaient en notre honneur, passait même seule ses commandes au téléphone chez Dominos' Pizzas sans mélanger les noms des ingrédients.

Il faut littéralement l'arracher du sol américain, lui faire lâcher la barre, l'embarquer de force comme une clandestine expulsée dans un vol *American*. Tourneboulée, elle ne désire plus qu'une chose dans sa vie : que son mari se débrouille pour trouver un autre contrat et retourner au pays du bonheur le plus vite possible, sinon elle va déposer un nuage radioactif au-dessus de sa tête pour le restant de ses jours. De retour à Lyon, l'écrivain, benêt, s'empresse d'écrire des lettres à des collègues américains pour proposer ses services intellectuels. Mais les mois passent et les réponses sont toutes négatives. Personne n'a besoin de lui ni de ses connaissances au pays du bonheur fou. Le visage de sa femme s'affaisse sous les plis de la nostalgie. N'étaient les appels quotidiens de Marwan pour lui redonner le moral, elle aurait sombré dans la déprime. Elle ne trouve pas de travail. Chaque semaine, le couple reçoit une lettre, une carte postale du frère palestinien qui donne des nouvelles de ses incessants voyages à travers le monde pour exposer les sinusoïdes de ses équations. La femme répond à chacune d'elles. Une nuit, le couple reçoit un appel à deux heures du matin, l'ami s'est pris les pieds dans les fuseaux horaires. La femme saute du lit et lui fait la conversation pendant un long moment, puis elle réveille de nouveau son mari pour l'informer que c'était Marwan.

– Tu veux lui parler ? lui demande-t-elle comme si elle avait perdu le sens du temps.

À deux heures du matin, l'écrivain, qui n'a aucune

intention d'entamer une quelconque discussion avec le cousin arabe d'Amérique de la famille, se replonge aussi sec dans le rêve de notoriété que la sonnerie du téléphone a violemment sectionné.

Le lendemain, au petit déjeuner, aucun commentaire n'est fait à propos de cet étrange coup de fil.

Quelques mois plus tard, la femme, ravie, apprend à son époux que Marwan venait passer deux semaines de vacances à la maison. Il s'en réjouit. Il va enfin pouvoir lui rendre les bontés qu'il leur avait accordées aux États-Unis. Il se fait un honneur de l'accueillir à la gare. Marwan avait encore pris du poids et s'était globalement rétréci. Sa nuque avait doublé de volume…

La semaine à la maison fut des plus pénibles. J'avais installé pour notre hôte un matelas par terre dans une chambre vide. Toute la nuit il ronflait à en faire trembler les cloisons. Sans doute à cause des quantités phénoménales de nourriture qu'il ingurgitait, dans de larges assiettes, arrosées d'énormes bols de lait crémeux. L'homme était un accro des chaînes de restaurants *All you can eat* qui faisaient alors des ravages au pays des *boys* en offrant aux clients, moyennant une modique somme, la possibilité de s'empiffrer à la hauteur de ce que leur estomac était capable d'engloutir.

Une chose m'irritait par-dessus tout, l'olive sur le hoummous : Marwan engloutissait deux baguettes de pain français à chaque repas, comme s'il avait peur d'être en manque le lendemain. Un vrai castor du Montana, un dinosaure du Jura. Il enfournait la chose d'un côté et la broyait méthodiquement, à coups de dents rageurs, jusqu'au trognon, puis récupérait les miettes sur la table. Dans sa conception productiviste de l'engloutissement, c'est dans la miette qu'on réalisait les plus grands profits. Ma femme et moi échangions des regards amusés, malgré la bande-son qui accompagnait le processus d'ingurgitation. J'avais beau rappeler à notre ami que la boulangerie d'en bas n'était pas en rupture de stock, qu'elle serait toujours à la même adresse demain, si Dieu le veut, et même s'il ne le voulait pas. L'homme restait sourd, il était intoxiqué à la baguette gauloise. Quand son estomac atteignait le seuil de la rupture, pour me moquer de lui, je lui demandais toujours d'en reprendre pour l'entendre répondre avec cette élégance tout orientale : *No, I'm full*. Non, je suis plein. Bourré. Près de péter mon intestin grêle et d'ailleurs je vais, si cela ne vous incommode pas, déboutonner mon froc, m'asseoir à l'entrée des toilettes en cas d'urgence et, si cela ne déroge pas aux valeurs en vigueur chez vous, je regarderai la télé d'ici.

Bien sûr, *boy*, ma maison est la tienne.

Au bout de quelques jours, je finis par feindre d'être débordé de travail au bureau, afin de ne plus avoir à supporter ses gargantuismes. Ma femme ne s'en plaignait pas. Elle avait de la carapace. Notre ami avait été si hospitalier aux États-Unis. *Isn't it ?*

La colère noyait mon système nerveux. Il fallait se rendre à l'évidence : je ne supportais plus ce goinfre, ce vorace, ce glouton, ce goujat. Un jour, ma stupéfaction atteignit son paroxysme quand, de retour chez moi, je le trouvai en train d'étendre son linge tout juste sorti de ma machine à laver Laden. Tous ses slips blancs XXL étaient soigneusement étendus sur le sèche-linge d'intérieur. Cette vision m'offusqua. Le type était pétri de la même culture arabe que moi, de la même éducation : il n'avait pas le droit d'exhiber ses culottes préhistoriques aux yeux de ma femme. Il n'était même pas question de « droit », mais plutôt de fait culturel, de ces choses qu'on n'a pas besoin de renégocier quand on vient de la même source, ce qui fait gagner du temps.

J'en avais des haut-le-cœur. Je comptais, heure après

heure, les jours qui lui restaient à passer chez nous, griffant les murs de ma cellule. J'étais déçu aussi : l'amitié pouvait si facilement se muer en haine. Je me faisais peur. J'étais trop versatile. Trop croyant. Trop crédule. Trop plein. Trop vide.

Finalement, un jour il décida de partir. Je laissai ma femme l'accompagner en train à Paris. Elle eut la délicatesse de m'inviter à me joindre à leur convoi. Je la remerciai vivement en remuant la tête négativement.

Les mois passèrent, tombant comme des mouches dans l'escarcelle du passé. Appels téléphoniques de tous les coins des États-Unis, cartes postales, lettres, Marwan faisait partie de la famille, c'était devenu un pilier. Je n'allais pas m'en débarrasser comme ça.

Il revint l'année suivante. Cette fois, ma femme me proposa de le loger ailleurs, dans un hôtel ou à la cité internationale de la ville qui accueillait justement les voyageurs en transit. Hospitalier jusqu'à la dernière parcelle de mon identité, je lui avais dégotté l'appartement d'un ami, absent de Lyon pendant cette période. L'invité de Saint-Jean-d'Acre était comme un coq en pâte. En fait, nous l'étions tous les deux. Finies les séances de gloutonnerie, les slips étendus dans le salon, les courses à faire à «Mammouth» pour rassasier Sir *All you can eat* alias *I am full*. Nos relations et nos discussions avaient nettement perdu de leur spontanéité et de leur sincérité. J'avais désormais une obsession : ne plus revoir cet ogre dans ma famille.

Il finit par comprendre le message. Ma femme aussi. Désormais, c'est elle qui avait la charge d'animer ses folles soirées en ville, ce qu'elle fit avec enthousiasme. Ou peut-être sans. Elle n'en parlait pas.

Trois ans plus tard, une sale nouvelle parvint à mes oreilles. Marwan, à qui j'avais ouvert ma maison, baisait ma femme ! Leur histoire avait commencé quand j'étais aux États-Unis.

Je n'avais jamais eu le moindre soupçon. Rien. Pas le début d'un souffle.

Pas trouvé une seule tache de sperme étranger dans mon lit matrimonial.

*

La table ronde n'avait pas tourné. Je regardai avec insistance l'assemblée pour bien peser la morale de cette histoire.

Mesdames et messieurs, vous m'avez invité à explorer ce qui était Tabou et Sacré dans mon écriture, je vous le dis. L'hospitalité représente, chez les Arabes de mon espèce, une valeur essentielle des fondations culturelles. Et Marwan a tout volé, tout pris. Tout sali. J'associe aujourd'hui solennellement le mot « sacré » à celui d'« hospitalité ». Une maison s'est brisée. C'était la mienne. Avec mes meubles, mon odeur, mes gestes familiers. Un morceau de moi est mort. Le jour viendra où j'écrirai un roman sur un frère dont je partageais la cause, que j'ai accueilli en moi, et qui m'a violé. Un jour j'écrirai un roman qui fait mal. Tous les Arabes du monde vont avoir mal avec moi, et ça me fera du bien parce qu'il n'y a pas de raison que je souffre seul comme un sanglier circoncis au rasoir.

Je veux que tous mes frères pleurent avec moi ce sacrilège.

Sacrilège ! C'est un bon mot, ça, non ?

Tabou, taboulé.

Sacré, sacrilège.

Carmen devait être fière de mon humour.

La salle était médusée. Ils voulaient du Sacré, je leur en avais servi à grandes louchées. Emportées par le torrent des mots, des larmes sont venues faire de la balançoire sur mes cils, l'air de demander s'il fallait qu'elles lâchent la sauce ou non. Je les ai vite chassées d'un revers de main. *Vade retro, lacrimas!* L'heure n'était pas aux gouttes d'émotion, mais à l'analyse scientifique du Sacré. Certes, j'étais un écrivain, un raconteur d'histoires. Pour autant, je savais aussi camper sur le terrain de la pensée rationnelle. Alors mes amis, qu'avez-vous à ajouter à cela? Vous faut-il des précisions? J'en ai à profusion…

Autour de la table ronde, les têtes étaient à l'inclinaison, les regards à l'évasion, les oreilles à la clôture, elles en avaient assez entendu comme ça. Le professeur Amrani prit la parole pour briser le silence malsain qui avait embrumé la salle.

– Ce n'est pas un sacrilège, c'est une profanation.

D'autres ouvrirent la bouche pour abonder dans ce sens. Marwan avait profané une maison. Une culture entière. Un monde.

Une larme insistante se pencha sur le bord de mes cils et s'affala sur ma lèvre supérieure. J'envoyai discrètement ma main pour la sanctionner et j'en profitai pour faire un commentaire.

– Il baisait ma femme! Vous vous rendez compte? Moi qui étais un fan du panarabisme de l'Égyptien Gamal Abdel Nasser, d'Oum Kalsoum!

Soudain, une voix dure claqua comme un fouet contre mes oreilles. Miriam.

– Il n'a pas «baisé» ta femme, comme tu dis… Excuse-moi de donner un son de cloche qui peut attiser ta peine, mais il n'a pas «baisé» ta femme comme tu le prétends, je regrette…

Sa voix m'était insupportable. Elle était aux abois. Elle poursuivit, haletante.

– Lui «et» ta femme ont «fait l'amour». Voilà la vérité. Tu ne peux pas l'accepter, parce que tu es un homme. Un macho.

Des avocats de ma défense firent entendre leurs protestations dans la salle. Le débat était véritablement lancé. J'avais bien visé. À partir de ce moment, mes tympans s'auto-obstruèrent, je sombrai dans le coma. Je voyais par intermittence les visages d'Amrani et de Carmen s'approcher du mien pour vérifier si j'étais toujours vivant.

– Oh mon pauvre, je comprends pourquoi tu étais en colère à l'aéroport. Comme tu as dû souffrir… s'épanchait la belle Carmen, toute pétrie de sensibilité.

Elle posa doucement sa main sur la mienne.

Ma bombe avait fait sauter toutes les inhibitions, les gens parlaient en même temps, les uns sur les autres, tandis que Miriam défendait fermement sa position. Elle prétendait qu'avant d'être un Arabe, un Palestinien, un Israélien ou un Américain, le héros de mon histoire n'en était pas moins d'abord un homme dont le comportement était davantage commandé par sa paire de couilles que par son cerveau et, dans une affaire comme celle-là, il n'y avait pas un responsable, mais au moins deux, ma femme et son amant. Et pire, on pouvait même en déceler un troisième, celui qui fantasmait sur le sentiment de fraternité-solidarité avec les Arabes et les musulmans du monde entier et qui s'était lui-même aveuglé au point de ne pas voir la bête qui, dans l'immonde, assouvissait ses besoins humains.

Malgré la grève des écoutilles, j'entendais ce réquisitoire implacable. Elle avait affreusement raison. Elle disséquait mes vérités pour les transformer en merdes de chien. Une vraie procédurière linguiste. La pire des espèces.

Je hurlai comme un forcené. Je hurlai que c'était Marwan le responsable, ce *mozer feuker*, puisqu'il était moulé dans la même culture que moi, nous partagions de ce fait les mêmes codes sociaux, notamment celui de l'hospitalité. C'était lui le profanateur ! Ma femme ? J'avais pitié pour elle, elle s'était fait, comment dire…

– Vas-y, dis-le encore, coupa brusquement Miriam, « baiser ». Je ne supporte pas de t'entendre parler comme ça des femmes. On choisit de faire l'amour avec quelqu'un, ne t'en déplaise.

– Certes, mais je veux dire qu'en tant que Gauloise, fille du royaume des Francs, elle n'avait pas les mêmes référents culturels que moi, que nous… Elle a trahi sans vraiment trahir puisqu'elle ne partageait pas ma définition du mot « hospitalité »…

– C'est un faux-fuyant ! asséna méchamment Miriam.

Le sang inonda mes yeux. Elle cherchait à m'asphyxier, la garce.

– Tu m'emmerdes ! C'est toi qui as un problème avec les femmes et la féminité ! Ça se voit, tu le portes sur toi.

Quelques personnes dans la salle se permirent un rire approbateur, d'autres restèrent cois. Le débat prenait de la hauteur, de quoi alimenter les futures annales de linguistique.

Un synthétiseur – sans doute un policier des renseignements généraux en civil, il en avait tous les traits et les tics – remit de l'ordre dans l'analyse.

– Dans ce cas de figure, la question revient à dissocier le rôle de l'individu de celui de la communauté. On peut évoquer le sacré dans une communauté, mais à propos d'un individu…

Un autre ajouta :

– De la même manière, on ne peut pas mélanger les couilles d'un homme palestinien avec les glandes du peuple palestinien dont la terre est occupée militairement par l'armée israélienne. Ce serait une injustice… il faut savoir lucidité garder…

Les mots me pénétraient par salves successives. Je perdis de nouveau pied. Je me réveillai au moment où le *chairman* de la table ronde bâtissait la conclusion partielle dans une belle éloquence française. Il me remerciait d'avoir livré à l'auditoire ce sujet si intime, cette expérience de vie, congratula les participants pour la qualité de leurs interventions, le professeur Amrani pour sa proximité… Les applaudissements fusèrent. Miriam sortit du cercle en piaffant. Elle avait été blessée au fond du cœur. Je n'en sortais pas indemne non plus.

*

Le soir, dans ma chambre, je commandai deux demi-bouteilles de vin ensoleillé. Du haut de ma terrasse, j'admirai longuement le coucher du soleil sur la côte espagnole, quand quelqu'un frappa à ma porte. J'hésitai, ce n'était pas le moment de me déranger. On insista. Je me levai, chancelant, à cause de la demi-bouteille fermentée qui circulait dans mes veines pour éteindre le début de déprime.

– Je peux entrer ?

Carmen.

Elle était affligée. Mon histoire l'avait fait chavirer dans le détroit de Gibraltar, si profond. Elle passa sa main sur ma joue. Une drôle d'énergie descendit sous ma ceinture, inattendue, déroutante. Je l'invitai à venir s'asseoir sur la terrasse près de moi.

– Tu prendras bien un verre de *vino* ?

Nous parlâmes un peu de mon cas. Elle partageait mon effroi avec tout son cœur et susurrait qu'elle n'avait pas besoin de réfléchir pour mesurer l'étendue du Sacré dans la culture de la Méditerranée. Justement, elle se tenait debout contre la balustrade, avec la mer derrière elle. À travers sa robe de soirée, légère, que pourfendaient les rayons d'une lune naissante alliés à ceux du soleil couchant, je voyais les courbes de ses fesses bondissantes et les limites escarpées de son string. La bête.

– Tu prendras bien un autre verre de *vino* ?

Comme un félin, je me levai de ma chaise et allai poser ma joue contre son dos musclé, à moitié nu. Elle me sentit, sans bouger. Tressaillit un peu. Je laissai mes mains glisser sur ses seins, elle se retourna, prisonnière du désir qui passait par là en tramway. Nous nous embrassâmes. Puis, sans plus de préliminaires, j'encerclai ses fesses de mes mains, relevai sa robe et, délicatement, fis rouler son string sur ses jambes galbées. Elle se courba légèrement, puis s'écarta, pour permettre à la lune d'illuminer pleinement son passage secret. Je m'y enfouis, millimètre après millimètre, ma colère retenue et contenue au bas de mon ventre. C'était l'instant de grâce idéal dont on pouvait rêver après une sacrée journée d'émotion taboue.

*

Les dernières heures du colloque furent douloureuses. Je ne pouvais assister aux débats des autres sessions, par manque total de concentration. Mes collègues allaient jaser sur mon absence de savoir-vivre, eux qui s'étaient déplacés pour assister à ma joute verbale avec Miriam. J'étais mal, mais je ne souhaitais voir personne, même pas Carmen que j'allais conserver dans un délicat rêve rose, ni Miriam, ni le professeur Amrani. J'allai me cacher au bord de la plage, face à l'Espagne. Comme les organisateurs m'avaient prévu un départ pour l'aéroport à quatorze heures, j'allais revenir juste à temps pour m'engouffrer dans un taxi, ni vu ni connu, et repartir d'où j'étais venu.

Sur la plage, une dizaine de jeunes sportifs, en short, s'entraînaient à construire une pyramide et à faire des pirouettes sur le sable. Ils appartenaient à une troupe de cirque.

De temps à autre, l'image de la clinique du Dôme tentait le coup du cheval de Troie pour faire un forcing dans ma tête et imposer la hideuse réalité de la chambre 33, mais je la repoussais en chantant à toute voix du hard rock allemand sur la plage. Les Madjid Circus me regardaient, d'abord étrangement, puis en se marrant. Ils devaient me situer entre Mick Jagger et un malade mental échappé d'un asile ou d'un colloque. Je luttais pour ne pas penser à ce qui m'attendait déjà. Flotter, c'est cette sensation que je cherchais, flotter et rester en orbite dans le vide, au-dessus des nuages morbides qui avaient planifié mon étouffement. Les mains tressées en oreiller derrière la tête, je m'endormis sur le sable chaud. Une petite brise faisait du rase-mottes sur la plage, emmenant dans ses tourbillons des corbeaux joueurs, provoquant des mini-tempêtes de sable qui, progressivement, m'ensevelissaient. À ce train-là, on n'allait bientôt plus me retrouver, j'allais me confondre avec le vent effaceur de traces. Je connaissais un type de mon origine, réfugié aux États-Unis, qui allait se réjouir de la disparition inopinée d'un écrivain dans le détroit de Gibraltar, au pied d'une pyramide humaine.

– Eh ! ça va ?

Un visage était penché sur le mien. J'essayais de désembuer mes vitres. C'était un jeune homme au teint cuivré.

– Ça va ? Tu dors ou t'es mort ?

Je me redressai. C'était un des sportifs.

– Tu peux pas dormir ici, regarde, tu vas bientôt ressembler à une statue de sable. Tu vois ?

Je m'inspectai. Effectivement, le sable s'infiltrait dans mes pores et bouchait la respiration de ma peau. Je dégageai d'un coup de main mon poignet gauche, comme pour voir l'heure.

– Regarde tes cheveux !

Regarder mes cheveux ? Obéissant, je passai ma main dedans. Mon crâne était en voie d'ensablement avancé. Des oiseaux m'avaient chié sur la tête.

– Heureusement, ça porte bonheur, sourit le Madjid Circus.

Je me redressai sur mes jambes et remerciai le jeune homme. À quelques pas, ses collègues de la pyramide attendaient le retour de leur pièce manquante, toujours souriants, les dents parfaitement blanches et rangées, comme les figures géométriques que leurs corps formaient. Je leur fis un geste de la main en m'éloignant. Il était plus de treize heures. On m'attendait à l'université. Je pris un taxi.

Les colloqueurs étaient en train de terminer le déjeuner. Les bouteilles de vin se vidaient plus vite que les assiettes. La parole avait déshydraté les gorges. Assise à une table d'hommes, Carmen me vit apparaître sous la tente qui servait de salle à manger, m'adressa un signe complice. Je le lui renvoyai, sans m'arrêter. À la table voisine, Nora et Miriam m'épiaient. Elles étaient entourées d'autres jeunes femmes et, à l'évidence, babillaient encore sur l'expression « baiser ma femme » que ma bouche masculine avait trop vite formulée. Je me sentis dans la ligne de mire des commentatrices. J'avais en tout cas provoqué des fractures claniques. Je cherchai à éviter le regard de ces femmes, mais trop tard, Nora se leva de table et vint à ma rencontre. Quelle idée avais-je eue de livrer ma vie intime à une table ronde ? Maintenant que les secousses post-telluriques étaient passées, le monde me fuyait. Le sable se dérobait.

– Alors, ça va ? Tu es prêt au départ ?

Le beau visage de Nora paraissait détendu. J'avais confiance en cette femme. Je lui répondis vaguement que j'avais déposé mon sac à la réception et que j'attendais le taxi.

– Si tu veux, tu peux retourner à l'aéroport avec le professeur Amrani, il va partir vers…

Je la coupai net.

– Non, un taxi c'est mieux. Je ne veux pas le déranger une fois de plus. Il a déjà été très gentil avec moi et je ne crois pas avoir été à la hauteur de son honneur.

Elle me prit le bras et m'attira un peu à l'écart.

– Viens.

Elle me conduisit à quelques pas, au bord de la piscine

où un homme essayait brutalement de convaincre son enfant que l'eau était bonne et qu'il devait se lancer dedans. « Tu la veux, celle-là ? Tu la veux ? » menaçait-il en soulevant sa main droite comme une hache, tandis que le petit innocent plaçait son bras sur son visage en guise de bouclier.

– Écoute, tu dois à tout prix parler à Miriam, elle est blessée. Elle n'arrête pas de pleurer.

– Elle n'est pas la seule.

Elle me planta sa main sur l'avant-bras. Cette fois, son visage s'assombrit pendant que, dans la piscine, le père de famille se lâchait et administrait une cuisante fessée à son fils pour refus d'obtempérer.

– Non, ordonna Nora, tu dois lui parler. Tu ne peux pas partir comme ça. Ce serait trop dommage. Nous, les Arabes, nous avons ce gros défaut de ne jamais parler, de toujours réagir à chaud, de nous imprimer au lieu de nous exprimer…

Pendant que je regardais le petit rebelle qui pleurait au bord de la piscine, Nora avait fait un signe à Miriam qui vint nous rejoindre, comme si elle n'attendait que l'autorisation.

Nous dûmes parler, regard contre regard. Nous expliquer au bord du marécage. Elle était accablée d'avoir perdu la face sur le ring de la table ronde et surtout de m'avoir donné l'occasion de me rendre si grossier et venimeux en public. Elle affirma qu'elle ne faisait qu'exprimer une opinion personnelle sur ma communication. Quelle sorte d'arrogance masculine me donnait l'audace de l'humilier ainsi ? Elle avait les cheveux courts et alors ? Elle avait la cellulite dégoulinante et alors ? Elle n'était pas belle et alors ? Elle était consternée et outrée par la médiocrité de mon esprit. La maladie de mon père ne me donnait aucun droit de mort sur l'altérité. Elle m'aurait arraché les testicules à la force des dents, n'était l'enfant qui pleurait au bord de la piscine en nous regardant étrangement, tandis que son papa, maintenant, nageait dans l'eau glacée blanchie par le soleil d'avril pour donner un exemple d'éducation.

Nora, qui s'évertuait à jouer les entremetteuses, pâlissait à vue d'œil. Elle voyait Carmen qui s'avançait vers nous.

– Allez, faites la paix. Embrassez-vous, conclut-elle avant que mon amie italienne n'entrave le tête-à-tête.

Je fis le fier.

– Pas de problème, on peut s'embrasser, ça ne me gêne pas.

Miriam resta silencieuse et se recroquevilla sur elle-même, tandis que Nora virevolta vers Carmen pour mesurer la distance où elle se trouvait, avant de nous presser de nouveau.

– Allez, embrassez-vous ! Vite ! Vous ne pouvez pas vous quitter comme ça.

Miriam entra dans ma bulle. Nous étions presque pare-chocs contre pare-chocs. Nez à nez.

– Je te demande pardon. Je suis allée trop loin.

Nous nous serrâmes très fort l'un contre l'autre. Nora fondit en larmes. Carmen souriait bêtement, entre pluie et soleil. J'aurais aimé dire à Miriam que moi, je n'étais pas allé « assez » loin hors de mes barricades par manque de courage, lui avouer que ses arguments trouvaient des avocates dans la mixité qui me constituait, mais les mots ne décollèrent pas de mes lèvres.

Le taxi arriva. Carmen m'accompagna jusqu'à la porte, contre ma volonté, je détestais dire au revoir. Elle me promit qu'elle allait écrire un nouvel article sur moi dans sa fameuse revue. Je fermai la porte de la voiture, ouvris la vitre. Elle me fit un clin d'œil et me recommanda de ne pas lâcher l'humour.

– Tu es prêt ? me demanda le chauffeur de taxi.

– Prêt. *Yallah.*

Au moment où il enclenchait la vitesse, le réceptionniste accourut vers nous, le bras levé, pour qu'on l'attende, et infiltra sa tête dans la voiture par ma vitre baissée.

– Excusez-moi, je crois que vous n'avez pas payé les demi-bouteilles de vin que vous avez consommées. Je suis désolé de…

Carmen lança aussitôt la main dans son sac pour chercher son porte-monnaie, mais je la devançai.

– Non, quand même. C'est pas à toi de payer ça.

Elle insista.

– Tu me rembourseras quand je viendrai te voir en France.

Le réceptionniste se confondit en excuses.

Je dis au chauffeur de taxi qu'il pouvait démarrer.

– C'est une honte, fit-il remarquer. On ne fait pas ça. Et l'hospitalité ?

– C'est ma faute, dis-je, c'est un hôtel, pas un…

– Quand même. Il faut pas faire ça. Il aurait dû payer de sa poche, mais pas se ridiculiser comme ça.

– C'est pas sa faute. C'est juste un employé.

– Aujourd'hui, les gens ne sont plus du tout comme avant. Les temps ont changé. Trop changé. Moi je regrette l'époque de mon enfance dans le douar, je te dis la vérité…

Le taxi entra sur l'autoroute. Le chauffeur m'observait à travers le rétroviseur, attendant un moment propice pour relancer la conversation.

– Tu bois du vin ?

– Oui.

Je répondis du tac au tac, sans réfléchir aux conséquences, le type pouvait freiner brutalement sur la chaussée et m'éjecter comme un déchet de la société de consommation occidentale. Au lieu de cela, il balança lui aussi, du tac au tac :

– C'est pas bien.

Un temps passa avant qu'il recadre ses deux yeux en amande dans le rétro et sourie malicieusement.

– Je blaguais, moi aussi je bois du vin.

– Allah-louya ! Nous serons deux à aller en enfer, alors.

Il passa la cinquième vitesse et le taxi s'envola.

*

Sitôt l'avion posé sur la piste de l'aéroport de Lyon, je sortis à la hâte mon téléphone portable. Les mains moites, tremblantes, j'inscrivis mon code *pin*. Le maudit engin ajouta à mon angoisse quand il me fit froidement remarquer que j'avais commis une erreur. Pourtant, c'était mon année de naissance, il ne pouvait pas y avoir de doute. Je recommençai, en appuyant comme un malade sur les touches. La porte s'ouvrit. Je composai aussitôt le numéro de ma mère. Elle décrocha à la première sonnerie. Sans la laisser parler, je demandai tout de suite des nouvelles du père.

– À cette heure-ci, il est…

La communication coupa. Le téléphone s'éteignit. Je dus refaire mon code *pin*. Mort de peur. Je ne savais pas comment se terminait la phrase de ma mère.

– Allô ? Maman ?

– Qui c'est ?

– Toujours moi ! qui veux-tu que ce soit ? Alors…

– Oui, je te disais *al 'hamdoullah*, ça va. Il est encore à l'hôpital, mais ça va. Et toi, comment vas-tu ? À peine revenu que tu es déjà reparti…

J'étais tout à fait rassuré, alors je m'excusai de devoir raccrocher parce que nous allions nous parler jusqu'à plus soif en fin de journée quand j'allais venir la voir. Mon téléphone m'informa par un petit bip que j'avais un message en mémoire. C'était mon frère Farid. Il avait laissé une dépêche laconique.

– Il faut que tu viennes à la clinique du Tonkin de toute urgence. À tout de suite.

Sa voix sentait l'humidité. Je serrai les dents. Pourquoi ma mère m'avait-elle rassuré ?

À partir de cet instant, toutes les tours de contrôle de mon corps se mirent à diffuser leurs avis de tempête, les cornes de brume lançaient leur note grave à l'univers, les phares actionnaient leurs puissants projecteurs sur des fonds incertains. Du haut de son mât de cocagne, mon cerveau avait cédé le poste de commande à ces milliers de matelots génétiques qui s'affairaient à leurs tâches dans la grande salle des machines temporelles. Un homme à quai se préparait à appareiller et à gagner la haute mer, un homme que tout le monde connaissait ici. L'annonce avait circulé dans mes circuits comme une traînée de poudre.

En reprenant mes esprits, je constatai que je me trouvais dans un taxi confortable, rempli d'une odeur tenace de cuir ciré, conduit par un jeune Arabe qui affirmait très bien me connaître. Le pauvre se dépatouillait lui aussi pour me rafraîchir la mémoire, me dire qui il était, d'où nous nous connaissions, mais ses mots fusaient autour de moi. Sa tête ne me disait rien et je n'avais pas le cœur à la comédie.

– Clinique du Tonkin à Villeurbanne, s'il vous plaît, lui commandai-je normalement.

Cette fois, éclatant de rire, il se retourna d'un coup.

– Oh, mais qu'est-ce qui te prend ? Tu me vouvoies maintenant ? Mais t'as fumé, ma parole !

Surpris, il démarra quand même, prétendant qu'il avait déjà chargé pas mal d'artistes dans son taxi et qu'il en avait dressé le portrait-robot : tous des débiles *cocanomanes*. Il trébucha sur le mot, trop voisin de la fameuse boisson d'Atlanta, me demanda de l'aide pour la bonne prononciation, se rappelait le mot « cocaïne »… mais je le laissai s'enliser dans ses démêlés sémantiques.

Un peu plus loin, il s'autorisa, avec ma tacite permission, à fumer dans son propre taxi, c'était bien parce que nous nous connaissions, sinon il n'aurait jamais osé cette liberté. Quand on était chauffeur de taxi arabe – enfin, c'est le chauffeur qui l'était, pas le véhicule –, on avait intérêt à faire bonne figure devant le client blanc si on voulait avoir du *taf*. Lui, par exemple, grâce à Dieu, il avait respecté les codes de conduite et cela lui avait porté grande chance. Tiens, au fait, savais-je qu'il était marié et qu'il avait deux enfants ?

Non, je ne savais pas.

Ah bon !

Le jeune homme était un parleur à hélices, avec un vent de force neuf. Il s'essouffla peu à peu devant les assauts de mon silence.

Un panneau indiqua bientôt la direction de la clinique du Tonkin.

Dès les premières volutes de fumée de sa Marlboro, des images du marché aux puces du quartier du Tonkin remontèrent au bord de ma mémoire et les mots de mon chauffeur se muèrent en bande-son d'un film des années soixante. Un quartier de pauvres gens dans lequel les travailleurs immigrés algériens mélangeaient leur faciès de sudistes à celui des immigrés venus du talon de l'Italie. Des noms de village comme Frosinone, Sezze, Roccassecca avaient une résonance familière dans mes oreilles d'enfant.

Je vais avec mon père le dimanche matin au marché aux puces qu'il fréquente chaque fin de semaine. C'est sa sortie. Je lui tiens fermement la main, la sienne et la mienne se contiennent bien, s'assemblent harmonieusement. J'ai chaud, dedans. Dehors, il fait froid. Les gens portent plusieurs couches de vêtements sur eux. Ils marchent les mains enfouies dans les poches, le col relevé derrière la nuque. Les fumeurs invétérés tirent sur

71

leur mégot en déambulant joyeusement entre les étals des marchands. Le sol est jonché d'objets récupérés dans les greniers, caves et poubelles du monde. Des acheteurs inconscients osent mettre les mains sur ces détritus, moi je m'en garde bien, de crainte d'attraper une de ces maladies vénéneuses qui transforment la peau des enfants en champ de boutons rouges et blancs. Mes yeux salivent parfois lorsqu'ils aperçoivent des jouets d'occasion, un camion de pompiers avec la grande échelle et un soldat du feu au volant, un avion avec ses piles, comme l'annonce le vendeur qui a vu la lueur d'éblouissement dans mes yeux neufs et innocents. Lui, il a contracté la maladie vénéneuse, à plusieurs endroits du visage sa peau est tachée par de l'eau de Javel. J'ai du mal à le regarder de face, mais j'ai aussi du mal à décroiser mon regard. Il est malin. La preuve, il lance à mon père son hameçon de commerçant :

– Un petit train électrique pour le *gone*? Je m'en débarrasse. Pas cher, mon frère.

Il le soulève délicatement, le place sous le nez de mon père qui a l'argent, le palpe pour montrer comme il irait bien dans la chambre du *gone*. Comme si le *gone* avait une chambre à lui tout seul. Là, il a manqué de jugeote. Je n'étais pas le genre maison en dur, jardin en fleurs et nains barbus.

Mon père balade son regard d'aigle sur les objets du monsieur à la peau mouchetée sans écouter du tout ses arguments de vente. L'homme s'appesantit, puis, constatant qu'il a un bloc de ciment sec face à lui, replace le train électrique au milieu de tous ses bidules hétéroclites.

Je suis le mouvement de ses mains, nostalgique.

– Même pas pour Noël? C'est dans pas longtemps, il ajoute dans une ultime tentative.

Comme si le *gone* avait un Noël à la maison. Deuxième erreur fatale. Mais de toute façon il n'y croit plus, ça se voit. Mon père lève curieusement la tête vers lui, je ne suis pas sûr qu'il ait compris son allusion. Dès qu'il croise ses yeux, il se fabrique une moue de méchant boxeur pour bien montrer au vendeur qu'on ne lui fait pas le coup du charmeur de serpent, à lui, il ne descend pas de la dernière pluie, mais d'une montagne où les paysans apprennent à se battre contre la vie dès qu'ils sont expulsés du ventre de leur mère et même qu'ils arrachent le cordon avec leurs dents de sagesse précoces.

Le vendeur hausse les sourcils en signe de capitulation. Ça va, ça va, il a compris. Il sait qu'il a franchi une limite. Il a admis maintenant qu'il ne pourra pas refourguer son train pourri à ce passant qu'il a pris pour un bouseux analphabète et méchant.

Ça m'amuse quand même d'entendre parler de Noël chez nous. J'en ris en cachette.

Et puis non, c'est pas vrai, ça fait pas rire. Au contraire. Il faut que j'apprenne à ne pas rêver trop loin. Après, je suis nostalgique quand je reviens sur la terre ferme. Mon père n'achète pas de jouets au marché aux puces du Tonkin. Et d'ailleurs, il n'achète jamais rien, car quand on achète des choses, on dépense de l'argent et c'est pas bien de dépenser de l'argent, on n'est pas là pour ça. Il n'est pas descendu de la montagne pour se transformer en consommateur, mais seulement pour faire entrer des sous dans sa poche et dans le porte-monnaie de ma mère. Ça s'appelle des revenus. Il ne faut pas laisser repartir des revenus, quand ils sont partis d'ailleurs et arrivés chez soi, c'est comme ça qu'on devient riche.

Éloignons-nous de la tentation. Je dis au revoir au train électrique. Pas de regret, il manquait beaucoup de rails, un bout de la locomotive était cassé, des roues avaient disparu, il n'y avait pas de piles. Mais en vérité, même sans rails, sans loco, sans roues, sans piles, je l'aurais poussé nuit et jour de mes deux mains, j'aurais inventé des chemins de fer avec des allumettes, imité les ronflements du moteur à charbon, fait la voix du chef de gare : « Avignon, deux minutes d'arrêt ! Avignon ! » J'aurais.

Gare au rêve. Il faut l'éloigner. Ma main cimentée dans celle de mon père, je remets le pied à l'étrier du réel. Nous avançons dans les rangées désordonnées du marché. Je me retourne quand même et je vois nettement une maman française et son fils de mon âge devant mon train, et le vendeur qui recommence sa récitation, et le *gone* par-ci et Noël par-là. Les bras de la dame se tendent, ils sont sur le point de se poser sur mon cadeau de Noël, alors vite, j'agis, je ne peux pas rester sans rien faire, je tourne la tête pour ne pas voir ce qui va se passer, un vol caractérisé. Je plante mon regard droit devant moi sur un cap imaginaire, mes chaussures écrasent mes chimères. Il faut que je cesse de faire l'enfant. On n'est pas là pour dépenser. On existe pour gagner.

Je suis un homme, maintenant.

Dans ce monde grouillant, mon père rencontre un cousin de là-bas. Monsieur Ali. On dirait que quelqu'un lui a façonné le visage à coups de silex, tellement ses plis sont anguleux. Et ses poils gris ressemblent à des ronces tout juste coupées en brosse. Monsieur Ali se penche pour m'embrasser, tout en demandant à mon père quel est mon classement dans la fratrie. Abboué dit un numéro. Il hésite avant de prononcer mon prénom, exactement comme le fait ma mère. Voilà ce que c'est de faire trop d'enfants, on s'emmêle les cordons ombilicaux, on ne sait plus à qui on s'adresse : *machin*, va me chercher de la semoule. Oh, pardon, *truc* ! Oh zut, *bidule* va me... hou là là, bon enfin, *toi* là, va me chercher... ah, et puis crotte, je ne sais même plus ce que je voulais.

Et voilà, les poussins sont tellement nombreux que la fleur en perd les pétales, pour reprendre la formule inventée par ma sœur « grande hypophyse ».

La fleur, c'est ma mère, elle s'appelle *Ouarda* et en arabe ça signifie «fleur». Ça lui va bien.

Enfin, ça dépend des jours et de l'arrosage, parfois elle se transforme en *chouke*, en ortie.

Monsieur Ali m'embrasse en donnant des coups de joue mal tondue sur mon visage de poussin. Pendant ce temps, mon père se rappelle mon nom, ainsi que ceux de mon frère cadet, Kader, et de l'aîné, Farid. Il précise tout à Monsieur Ali, les prénoms et les numéros de classement dans la smala, en s'efforçant d'être le plus clair possible.

Mon père parle pour meubler le temps, lui aussi sait faire le moulin. Monsieur Ali joue à celui qui écoute. Ce sont les grands. Ils ont des lois. Et voilà les deux cousins de la montagne qui partent pieds nus sur les chemins des contes. Ils évoquent leur enfance dans les champs de blé en Algérie, quand l'eau coulait à grands flots dans les ruisseaux, quand les cumulo-nimbus s'arrêtaient au-dessus du pays pour arroser les grasses prairies, et puis leur voix change quand s'amène le temps de l'exil, il se met à pleuvoir, ils posent du papier journal sur leur tête pour que les grêlons français ne leur fassent pas mal.

Je les écoute du haut de mes sept ans et, quand monsieur Ali prend sa respiration, soupire et lâche «Eh oui, qu'est-ce que tu veux ? C'est ainsi et pas autrement», je sais qu'il va se pencher vers moi. La conversation doit se reposer tous les quarts d'heure, si on écoute les conseils de Mouton Futé. Le cousin touche mes cheveux bouclés comme si j'étais un agneau de l'Aïd el-Kébir et balance :

– Est-ce qu'il travaille bien à l'*icoule*, le petit Kader ?

Mon père corrige le nom. Kader c'est un autre frère, mais cousin Ali n'entend pas, s'inquiète de savoir ce que je vais faire quand je serai grand, vizir, ministre, directeur, médecin ? Il dit que l'important est de ne pas être commandé par quelqu'un, comme ils l'ont été eux, dans les champs de labour d'Algérie quand ils étaient en colonie, qu'ils n'avaient pas le droit de fouler l'herbe du pied soi-disant parce que c'était pas leur herbe. Ali dit qu'on réussit sa vie quand on commande les autres, et pas le contraire. À coups de fouet, de bâton, il faut toujours être du bon côté du manche. Il pense à ma place. Mais ma place à moi c'est commandeur de train. Chef de locomotive. Gentil. Avec des caresses sur les pistons.

Et ce qui devait arriver arriva. À force de lancer des sornettes pendant l'intermède, Monsieur Ali s'enraye le magnétophone que la nature lui a greffé dans les cordes vocales. Soudain il se tait, se racle le fond de la gorge et va rouler dans ses conduites souterraines un mollard de chez mollard qui obstrue dès sa formation ses canalisations, puis quand la chose est bien en bouche, il fait légèrement pivoter sa tête pour l'expédier bruyamment sur le sol, la terre du Tonkin.

Je recule vite. Protection contre les risques de pollution. Puis le montagnard envoie sa semelle de chaussure sur sa boulette et l'écrase au vu et à l'entendu de tous les clients du marché.

J'ai interdit à mon papa de faire ça, parce que j'ai peur qu'un jour un policier lui reproche de ne pas aimer la France puisqu'il lui crache dessus. Et l'oblige à ramasser. Ça, je ne pourrais pas le supporter.

Il vaut mieux que je les laisse entre montagnards.

– Abboué, je vais voir les livres, là-bas. D'accord ?

Je montre du doigt un stand sur lequel des centaines de livres illustrés sont soigneusement rangés.

– Oui, mon fils, vas-y. Je te rejoins dans un petit moment.

Monsieur Ali ne peut pas retenir un commentaire. Il dit que, pour devenir ministre, il faut lire. Je me demande comment il sait ça. Je me demande aussi qui parle dans sa bouche.

Je m'approche des livres. Je suis petit mais je vois quand même ce qui se passe sur l'étal. Je vise les pages de couverture surtout, leurs couleurs, les visages des héros et les gueules des animaux qui sont leurs compagnons d'aventures. Les titres m'emportent avec eux dans la jungle, en Amazonie, dans la steppe de Mongolie, le désert Dégobille en Chine, au-delà du réel, aux frontières de l'imagination. Ici, c'est pas comme avec le train électrique, je peux rêver. C'est pas interdit. C'est gratuit. Alors, je sors un livre de sa pile. À ma droite, un homme à lunettes est en train de feuilleter des bouquins, mais sans images. Il a une odeur d'éducateur national.

J'ouvre le trésor en papier, des personnages se mettent debout et commencent à jouer leur histoire, mais qu'est-ce qui se passe, ça pique, un projecteur envoie toute sa lumière sur moi, une flèche file droit sur mon cœur, mais qu'est-ce que c'est ? Le vendeur qui m'épie, me foudroie d'un regard rempli de sulfate à éliminer les parasites, ses lèvres s'apprêtent à libérer le venin. Il s'adresse à l'homme aux lunettes à côté de moi :

— Est avec vous le *gone*, là ?

Lunettes de Prof jette un œil sur moi, par-dessus sa monture, quelques secondes traînantes, hésitantes, remet sa vue en place, se retourne vers Vendeur Méchant et se replonge dans son livre.

— Oui, il est avec moi.

Vendeur Méchant sent le mensonge de Lunettes de Prof, mais il craint de rater une vente. Il tente de se rattraper.

— Ah bon… je m'esscuse, mais c'est parce que j'arrête pas de me faire piquer des livres par des petits merdeux… ils sont envoyés par leurs grands frères…

Il hésite.

Lunettes de Prof vient à son secours.

— Non, non, ça va. Il est avec moi.

Mais c'est qui, ce type ? Il dit ça tranquillement, comme s'il venait d'acheter un enfant au lieu d'un livre. Je suis terrorisé. Je ne sais pas quoi faire, les muscles de mes jambes fondent comme neige au soleil. L'air de rien, je fais semblant de m'intéresser au livre que je tiens dans ma main, puis je tourne rapidement les pages, je pose le bouquin sur la pile sans le ranger à sa place et, d'un coup de reins, je détale en courant vers mon vrai père et son vrai cousin Monsieur Ali.

Sauvé. Je suis sain et sauf. Je prends la main de mon père, par mesure de sécurité. Je l'ai échappé belle. L'homme allait m'enlever, me séquestrer et réclamer à mon pauvre Abboué une rançon pour lui rendre le numéro manquant de sa smala. Cela se voyait sur son visage, ses lunettes, sa façon de cligner ses cils. Le type était un sadique. C'était la première fois de ma vie que j'en voyais un de si près.

Pour renforcer mon plan vigipirate, je me suis riveté des deux mains sur celle de mon père. Bien agrippé, j'étais.

Une rançon ! À Abboué ! Comme il n'était pas en France pour dépenser de l'argent, j'allais me retrouver enfermé dans la cave du sadique pour le solde de mes jours. Le type allait s'épuiser à négocier un bon prix pour mon retour et mon père allait lui rétorquer, sûr de la puissance de ses supermatozoïdes : « Çui-là ? Ah ah ah, mais tu peux le garder ! Je vais en faire d'autres, une armée, qui vont me rapporter bien plus que lui ! » et le sadique allait se retrouver dans une belle bouse de vache, avec moi dans sa cave, sans aucune valeur marchande.

Épuisé par la conversation avec cousin Ali, mon père propose que nous allions boire quelque chose au café du tiercé, son lieu de rendez-vous du dimanche onze heures. Nous repassons devant le stand du bouquiniste. Je n'ai plus peur de fixer le sadique en face des trous, maintenant que j'ai mon vrai papa en main. Vendeur Méchant insulte Lunettes de Prof qui l'a pris pour un imbécile. C'est bien fait pour eux. Ils n'ont qu'à pas.

Sales cons ! je lance sans le dire. Pour me désénerver.

Au café du tiercé. Il y a Joachim, José, Mohamed, Bachir, André, Gaetano et Mauricette, la serveuse, qui connaît chacun des travailleurs-joueurs par leur nom propre, y compris mon père, et cette marque d'attention le touche beaucoup, ça le change du chantier où le contre-maître appelle tous les Arabes *Moramed*. Y compris mon père.

Ces hommes assis derrière leur jus, dans les volutes des Gauloises sans filtre, sont cousins germains. Par le ciment, par la taloche et par le mortier. Ils parlent la même langue, celle du pays des grues et du préfabriqué. Ils visent la même fin, une petite maison à deux étages dans le coin de terre originel, verdoyant, en pointant tous les dimanches matin les pages du journal, en poinçonnant des chiffres sur des chevaux imaginaires transformés en feuille de papier cartonné rectangulaire. Le bonheur rôde par là. Les travailleurs parlent fort, font du bruit, rient à pleines dents pour le débusquer et le surprendre.

Ça y est, je le tiens ! Je le tiens !

Dans l'ordre ou le désordre ?

– Un Vichy-menthe, je commande à Mauricette.

Elle aussi passe sa main dans les bouclettes de ma toison noire. Mais elle, je lui pardonne, elle a des doigts de fée. Pas comme les mains cimentées d'oncle Ali[1].

J'aime prendre un Vichy-menthe quand je viens là parce que j'aime prononcer ces deux mots, Vichy et Menthe. Et parce que cela fait un bel assemblage de couleurs dans mon verre, surtout quand Mauricette ne met

---

1. Celles de mon papa aussi, mais j'aime pas me le dire.

pas trop de menthe, comme je lui demande, ce qu'elle oublie toujours de faire parce qu'elle perd la tête avec tout ça.

La matinée s'allonge et se termine au marché des fruits et légumes. Là, Abboué accepte de débourser un peu de ses revenus qui coûtent si cher à séduire et qui sont si facilement repartis. Il faut bien manger pour bien travailler à l'*icoule*. Un homme rassasié en vaut deux. Il achète beaucoup de bananes, ça bourre la panse des ogres de la smala pour pas cher et ça leur permet de se tenir le bide à l'américaine en disant : *Oh, I am full !*
Il connaît le refrain.

Mais c'est pas vrai ! Qui est encore là à mes côtés ? Le sadique à lunettes ! Il fait croire qu'il achète des tomates. Il me voit et me sourit. Alors je reprends en main mon père et je me planque derrière lui. L'homme me parle quand même, comme si j'étais orphelin :
– À cause de toi, je me suis fait engueuler par cet imbécile de vendeur. Qu'est-ce qui t'a pris ? J'ai fait ça pour toi, pour que tu puisses lire gratuitement des livres…

J'ai envie de lui crier, oh, t'as pas vu que je suis déjà pris, j'ai un père ! C'est lui. Regarde ses yeux comme ils sont pas contents, ça veut dire que mon père il va te faire bouffer tes lunettes avec les montures si tu es encore là devant les tomates dans deux minutes. Aussi sec, Abboué pivote vers lui comme un sanglier et, dans son dialecte de maçon à taloche(s), le somme d'expliquer comment il me connaît. Mais Lunettes de Prof ne comprend pas un traître mot du montagnard du Djurdjura, il me réclame du secours, désorienté, avant de revenir à mon père.
– Fils… livre… bon !

Il parle en petit nègre. Il en rajoute : il dessine dans l'air avec son pouce droit le mot « bon ». Mon père croit qu'il est dingue. Il a peur des fous, ça porte malheur. Il enfouit vite les bananes nourrissantes dans un grand sac qu'il porte et que je n'avais pas remarqué auparavant.

– Allez, viens, on s'en va. Vite ! Cet homme est malade dans sa tête. S'il nous parle, c'est pas bon pour nous.

Nous avons mis un bon espace entre lui et nous. En marchant, il m'apprend à me méfier des fous à lunettes qui parlent à tout le monde sur le marché. Il m'en montre quelques exemplaires autour de nous, pour me former à leur détection. J'apprends à reconnaître leurs enfants, aussi. C'est une espèce qui se reproduit très vite.

De nouveau, main dans la main, au chaud. Il craint que le froid ne me saisisse, constate au passage que mon manteau n'est pas fourré, mes chaussures laissent entrer le vent glacé à bâbord et à tribord.

– Quand je gagne le tiercé dans l'ordre, nous achetons une maison avec le *sau*vage central, il jure.

– *Chau*ffage ! je rectifie en pouffant de rire.

Si mon maître d'école l'entendait tordre le français comme une serpillière, il exercerait à coup sûr des représailles contre moi.

– Chauffage, pas sauvage, je tente de l'éduquer.

Et le voilà qui s'amuse avec moi, feint d'être en colère, prétend qu'il parle bien le français pour quelqu'un qui n'est jamais allé à l'*icoule*.

– L'école ! je corrige.

– L'*icoule* ! L'*icoule* ! Le *sauvage* ! Le *formage* !

– Le « fro »mage !

– *For*mage ! Voilà.

Voilà.

Il se cabre. Il est joyeux. Il joue avec les prononciations. C'est dimanche. Pas de ciment aujourd'hui. Il parle français comme bon lui semble. C'est un homme libre, il est chef de lui-même. Et moi aussi.

Le bus numéro 27 entre dans notre ligne de mire avec son nez rouge strié, ses grosses lunettes et ses perches qui le tiennent suspendu. Il s'arrête devant nous. Abboué me demande de me dépêcher, des fois que je raterais la marche. Nous montons, dans le sillage d'une mémé native de Lugdunum, elle a mis un filet à poissons sur ses cheveux, elle traîne son chariot plein de victuailles. Mon père a préparé la monnaie pour payer. En arabe, je lui glisse à l'oreille que les enfants de moins de douze ans ne payent pas le bus parce qu'ils n'occupent pas beaucoup d'espace. C'est toujours ça de « pas dépensé ». D'un geste de la main bourré d'honneur, il me répond « T'occupe, fiston », il ne veut en aucun cas que les hommes de Vercingétorix aient quoi que ce soit à lui reprocher au cours de son séjour chez eux, alors il va se payer le luxe d'acheter deux tickets parce que nous sommes deux personnes.

– *Pigi ?*

Oui, bien pigé.

Moi, personnellement, je suis content, c'est la preuve que je suis considéré comme un grand maintenant, mais pour la bourse de mon père, c'est un débours inutile.

Je ne pige pas toujours, mais j'apprends chaque jour.

La mémé devant nous est parvenue tant bien que mal à récupérer sa monnaie sur le comptoir, malgré sa tremblote, tandis que le chauffeur a déjà redémarré son gros engin bringuebalant. Mon père s'avance vers lui, alors qu'il pousse vers l'avant son gros levier de vitesses.

– *Doux tickis*, s'il te plaît.

Le chauffeur enclenche sa vitesse.

– Combien ?

Mon père :

– *Doux*.

Le chauffeur pousse sa vitesse aussi loin qu'il peut,

avant d'envoyer ses doigts dans sa trousse et de ramasser deux petits tickets marron. Il a l'habitude du dialecte des maçons du Sud, parce qu'il fait souvent cette ligne le dimanche matin. Il sert deux tickets, ne manifestant aucun scrupule à me faire payer comme les grands. *Gone* avec le vent, autant en emporte le vent, je me la ferme. Si je commence à jouer avec les ficelles de son système nerveux, mon père monterait sur son grand cheval. Il paye avec ses revenus, en me faisant un clin d'œil, il a les deux tickets d'intégration en main. Il est fier. C'est pas parce qu'on est pauvre qu'on peut pas payer. Bien au contraire, il fait cette démonstration aux yeux et à la face du monde.

Dans le bus, le projecteur de la chance éclaire juste pour nous deux places en or, côte à côte. Nous nous installons confortablement. Le bus roule. Je regarde mon père de travers. Il se sent visé.

– Qu'est-ce que j'ai dit de mal, encore ? Tu te moques de moi ?

– Tu as dit «s'il te plaît» au chauffeur…

– Oui, et alors ? C'est pas *pouli* ?

– Non.

– Ah bon ? Alors vas-y, *splique*-moi.

Il croise les bras sur sa poitrine, en attente d'une leçon privée. Je me tais un instant pour lui donner faim de connaissance. Il m'incite à lui apprendre les bonnes manières gauloises.

– Vas-y, *ti mi spliques*.

Finalement, je lui livre la vérité.

– Quand on ne connaît pas quelqu'un, on dit «vous».

Il se gratte le menton, réfléchit une seconde, à la manière de Cheikh Loukoum's, le célèbre policier arabe naturalisé londonien, avant de conclure dans un sabir arabe-français :

– Pour ça, tu as raison. Il faut toujours rester *pouli*

avec les *Francisses*, comme ça, ils ont rien à se mettre sous la dent contre nous. La prochaine fois, je dirai au chauffeur : «*Doux tickis*, vous !» C'est bien ?

Je ris encore.

– C'est bien mais pas assez…

J'arrête la leçon, il faut administrer le savoir à doses homéopathiques à chaque fois.

Une chose est sûre, le métier de chauffeur de bus est plus facile que celui de professeur de français.

Mon imagination se promène sur les murs de la ville. Les boutiques sont déjà habillées en tenue de Noël. Ça brille de partout, même le matin, les lampions restent allumés toute la journée pour hypnotiser les enfants, en faire des somnambules programmés pour se rendre au supermarché acheter du prêt-à-rêver en rayon. À ma droite, mon père se met à remuer nerveusement comme s'il avait perdu sa carte de séjour, s'empare du grand sac qu'il a déposé à ses pieds et dans lequel il a emballé des bananes. Il farfouille dedans, en sort un paquet qu'il me tend, tout en maintenant son regard braqué sur les bananes.

– Tiens-moi ça, *s'il ti pli,* «*vous !*», il me prie moitié arabe et français.

Je saisis le volumineux paquet, enroulé dans un papier journal, mes doigts le palpent. Mais ? Je ? Je suis éclaboussé. C'est pas vrai, un train électrique ! Pour de vrai. Pour de bon. Avec des rails.

Mon père m'observe comme si de rien n'était, l'air tout à fait étonné. «Ah bon il y a un train électrique au milieu des bananes ? Bazar, bazar.»

Puis il lâche un commentaire digne d'un major de promotion de la Harvard Business School :

– Je lui ai fait baisser le prix de moitié. Comme ça, on achète des piles.

Je pleure de joie. Je serre le train contre ma poitrine. Je

vois le visage heureux de mon père qui dit que nous aussi, on a droit à des cadeaux, même si on n'a pas de *sauvage* central chez nous, même si on n'a pas beaucoup de sous, même si on parle le français du marteau-piqueur. Tu n'aurais jamais dû faire cette folie, Abboué. Un jour je finirai de lire tous les livres du marché aux puces du Tonkin, je lui rembourserai au centuple.

– On verra bien. En attendant, mange une banane, il est midi passé de cinq minutes.

Il devient un vrai *Francisse* lui aussi. Midi, c'est midi. L'heure du manger.

*

Il était dix-sept heures quand le taxi de Djamel me posa au Tonkin devant la clinique. Je dis «merci monsieur», il glissa sa carte de visite entre l'index et le majeur et me la tendit, au cas où nos rails feraient une perpendiculaire un de ces jours en ville.

– Non, décidai-je.

Il sursauta sur son siège comme s'il avait reçu un coup de deux cent vingt volts.

– Non quoi?

– Franchement, j'en veux pas de ton… ta…, j'ai pas le temps.

– T'as pas le temps? Tu délires, ma parole!

Cela ne se faisait pas de refuser. Humilié, il se vexa tout rouge, s'agrippa à son volant pour réprimer le désir violent de me manquer de respect.

– On m'avait dit que tu n'étais plus le même qu'avant, mais là ça dépasse le compteur. Chapeau!

Je n'avais rien à ajouter à cela. Il y avait du vrai dans ce commentaire.

– T'as pris la grosse tête, mec! T'es un *cocaïmane*!

Stoïque, je payai, sortis et récupérai moi-même ma valise dans le coffre de la voiture. Je partis sans me retourner.

C'était vrai, je ne connaissais pas ce type. Il m'avait sans doute pris pour un autre.

Alors que je marchais en suspension vers l'entrée de la clinique, mon téléphone sonna. Il était au fond de mon sac. Je le déposai sur le sol et je cherchai le foutu appareil en éjectant en l'air toutes mes affaires personnelles, au moment où Djamel mon chauffeur repassait dans l'autre sens avec sa voiture. Ses rides étaient parlantes. Il cria quelque chose comme « Va te faire niquer, *cocaïmane* ! ». Je n'avais pas le temps de discuter, je mis promptement la main sur mon téléphone pour l'empêcher de sauter et d'aller se cacher sous une autre culotte.

– Ouais ?

C'était Farid.

– Où t'es ?

Je l'apercevais de l'endroit où j'étais.

– Je suis là, j'arrive.

Je raccrochai. Mes pas sur la chaussée commencèrent à s'enfoncer dans la vasière, les choses se dégageaient progressivement de la brume. L'iceberg était inévitable, là, à quelques mètres de ma coque. Je montai les marches tête baissée pour ne pas voir venir le choc. C'est d'abord dans les yeux de Farid que je lus la nouvelle, puis dans sa bouche. En s'avançant vers moi, il lâcha :

– Tu arrives quelques minutes trop tard. Il vient juste de partir.

Le monde s'écroula sur ma proue dans un terrible vacarme. Ma vie se creva, le temps compressé pénétrait par tous les compartiments, tandis que Farid surnageait dans les débris, le regard en miettes. Il semblait sourire en fait, mais c'était un sourire sulfaté, comme s'il voulait dire que c'était bien dommage pour nous, qu'on aurait tant voulu le retenir à bord quelques années de plus, mais que cela n'avait pas été négociable.

Une seconde plus tard, j'imaginais mon frère en train de se rétracter : mais non, c'était une blague, il est bien vivant. Il a simplement repoussé son départ. J'allais être soulagé.

En réalité, la nouvelle si fraîche l'avait déboussolé. Il divaguait. Il chancelait. Ses vaisseaux sanguins étaient en crue.

– De quoi est-il… ?

J'essayai de trouver quelques mots, parce que laisser le silence s'occuper de tout n'était pas une solution non plus. Farid puisa dans ses batteries pour trouver la force d'expliquer. Après que je l'eus quitté à la clinique du Dôme, au moment de mon départ pour le Maroc, mon père s'était réveillé et avait sombré, malgré la gélule jaune que je l'avais forcé à avaler, dans le royaume des volets clos. Les médecins l'avaient transféré dans une autre clinique pour tenter de réactiver la dernière braise.

– Ils n'ont pas vu qu'il avait une infection urinaire, poursuivit Farid. Ils lui ont ouvert le ventre pour autre chose. Il n'a pas tenu le choc.

Quand je pense qu'à moi il avait indiqué où se situait son mal.

Mon bateau était quille à l'air. À ce moment-là, je me trouvais parmi mes fidèles marins génétiques qui, par milliers, s'étaient rassemblés sur les berges de mes pores pour assister au départ de leur géniteur. Le petit train électrique actionna sa sirène, puis il revint se pointer sous mon nez. J'étais le chef de machine, je portais le manteau fourré de laine synthétique qu'Abboué avait fini par m'acheter aux puces pour fêter mon passage en sixième. Tant d'autres petites choses encore, lourds sacrifices pour le budget familial, mais qui serviraient un jour à monter l'échelle et à accéder à cet espace pur, au-dessus de la couche nuageuse qui couvre en permanence le ciel des gens pauvres. J'étais là, sur le quai, muet, paralysé, sur la falaise écroulée, mes godasses prenaient l'eau. J'avais froid, malgré le manteau.

– C'est con, ajouta Farid, s'ils avaient su, ils auraient pu…

Il se tut, observa le ciel pour reprendre sa respiration, submergé, puis laissa passer l'averse devant ses yeux.

– … tu peux aller le voir en haut. Il y a déjà des gens…

Le voir ? Qu'y avait-il à voir, puisqu'il n'était plus ? Je n'avais jamais vu un mort. Je ne voulais pas le voir mort, cela pouvait le tuer pour de bon.

J'y allai quand même. Mes chaussures assuraient la commande des opérations. Elles me conduisirent à l'entrée de la clinique. Mon frère Kader, dès qu'il me vit, se jeta dans mes bras pour déposer sa souffrance dans le creux de mon épaule.

– On n'a plus de père, répétait-il. On n'a plus de père.

Il fondait. C'était le plus fragile de la smala. Les creux de mes épaules se remplissaient de ses fontes de neige salée. C'est lui qui me fit prendre conscience du cratère que l'absence avait laissé derrière elle. Mes vannes explosèrent d'un seul coup, libérant la douleur qui fermentait dans mon ventre et la contagion se propagea immédiatement en taches d'huile. Une nièce, blême, entra dans la mêlée des désespérés, recommandant à qui voulait bien l'écouter qu'il ne servait à rien de pleurer, le destin avait fait son travail de fonctionnaire du temps, mais plus elle criait qu'il ne fallait pas pleurer, plus elle sanglotait. Kader redressa la tête pour jurer, en postillonnant, sur la vie de sa mère, qu'il porterait plainte contre ces racistes de médecins qui avaient ouvert le paternel à l'aveuglette. Il avait perdu toute lucidité. Je lui rappelai qu'Abboué avait – selon les approximations du livret de famille établi au temps de l'Algérie française – frôlé la barre des quatre-vingt-dix ans et que, peut-être, on pouvait concevoir qu'il avait reçu une bonne part de gâteau ici-bas. Mais il restait hermétique à toute nuance, ayant déjà établi son programme d'action pour les prochains mois : tribunal, procès, condamnation. Les apprentis médecins allaient être soumis à l'obligation de recoudre notre père et de nous le rendre comme il était avant.

Un peu plus tard, libéré de l'étreinte humide des membres de ma smala, j'entrai dans la salle d'embarquement, vêtu d'un uniforme de cosmonaute destiné à protéger les visiteurs des virus environnant la mort. Deux de mes sœurs se trouvaient déjà dans la chambre, les visages chavirés. Il y avait aussi un homme, dont je devinais simplement la silhouette, qui se tenait debout devant le lit sur lequel dormait mon père. Je le reconnus à sa masse, c'était Ali, le cousin de la montagne, ancien client du marché aux puces du coin.

La grand-voile, en coton blanc, recouvrait le corps de mon commandant de bord jusqu'aux pieds. Seul son visage émergeait à la lumière de la vigie. Des nœuds s'emmêlèrent les pinceaux à l'embouchure de ma gorge. La compression sur ma respiration devint insoutenable. Mes mains, désormais orphelines, se rejoignirent pour se tenir chaud et se donner du courage. Mes pupilles cessèrent de bouger et fixèrent le regard goupillé d'Abboué. Les marques de la souffrance avaient été soigneusement polies au moment du largage des amarres. Tel un acteur dans sa loge à la fin du spectacle, la mort remballe toutes les expressions humaines dans ses malles en rentrant chez elle à la fin du jour, le coffre plein de clients.

Une infirmière entra à pas feutrés dans la salle de réanimation, sans nous considérer, débrancha un appareil électronique avec écran détecteur de traces de vie, le fit rouler et disparut derrière lui. Le silence refit surface. Une nouvelle fois, tout espoir de miracle était anéanti, l'alimentation désormais coupée, le dernier souffle évanoui dans le sillage de la dame blanche. La salle se figea dans sa nudité.

J'observai intensément l'endroit du cœur de mon père pour surprendre une ultime braise de battement de vie, celle que les pompiers avaient oubliée dans leur précipitation et que j'allais raviver en vidant mes poumons dedans. Toute mon énergie était canalisée dans un seul phare de mon esprit. J'allais accomplir ce que personne d'autre n'avait réussi jusqu'à présent.

Les secondes passèrent une par une, puis par groupes, et le cœur ne se remit pas au travail. Hélas, le feu avait été définitivement éteint par les chirurgiens, sans la moindre défaillance. Du travail de fossoyeur professionnel. Je levai les bras en l'air pour me rendre à l'évidence : Abboué était mort.

En quatre lettres. Aime. Eau. Air. Thé.

Accroché à un courant d'air, je le rejoignis et l'accompagnai un bout de chemin là-haut, pendant de longues minutes. Comme il ne savait pas lire, le pauvre, il n'allait pas pouvoir déchiffrer les panneaux d'indication pour trouver l'autoroute du Paradis. C'est à moi qu'il revenait de le conduire à bon port. Il s'aperçut de ma filature, s'arrêta net pour me tancer sèchement : je n'avais pas le droit de le suivre, le chemin était un passage secret, on ne pouvait s'y faufiler qu'un par un. J'allais lui porter préjudice chez Dieu si je m'entêtais.

– Et moi, qu'est-ce que je vais devenir ? fis-je.

Moi ? Mais je devais rester dans le train en marche, c'est tout. « Tu as des piles neuves, maintenant, non ? » Il sourit en repensant au train électrique.

Et puis j'avais aussi les bananes dans le sac, non ? De quoi tenir quelques années.

Une lourde main cimentée s'abattit sur mon épaule. C'était Monsieur Ali, le visage encore plus crevassé par les coups de silex. Il murmura qu'Abboué avait fait son temps, que nous n'étions pas immortels, un jour ou l'autre Allah faisait l'appel et prononçait notre nom. Il n'y aurait pas de lésé, pas de passe-droit sur la dernière ligne droite de l'égalité. Un tas de mots qui me hérissaient les poils du nez. Comme je n'écoutais pas, il se tourna vers un nouvel arrivant pour chercher le vent nécessaire à son moulin.

Je restai des heures, planté comme un panneau de sens interdit devant le corps, près de la tête qui commandait tout, avant l'accident. Plus rien ne bougeait à la surface de l'eau, la mer était d'huile, la porte de la salle béante.

À intervalles réguliers, des personnes entraient, proches et moins proches, presque toujours des hommes, informés du décès du patriarche par le téléphone arabe. Je devinais surtout leur silhouette, en réalité, car je n'avais plus le goût du regard. Les bouches restaient murées. Dans le silence, des artisans préparaient le décor de l'éternité. Parfois, un vieux *chibani*, un ancien habitant de la montagne originelle en Petite Kabylie, s'avançait jusqu'à moi pour m'embrasser, faisait quelques pas vers le visage de son ami disparu, retenant ses larmes, puis foudroyé par la brutale dépressurisation, renonçait à m'approcher, reculait de deux pas et se figeait dans une posture d'allégeance au Tout-Puissant, les mains raccordées, comme les miennes, pour faire la jonction entre les deux bouts de l'univers.

Mon frère Kader, qui voulait entamer le procès de la médecine incompétente, allait et venait dans la salle, le regard en feu, les cheveux raidis par un coup de gel. Il faisait le dauphin, émergeait dans la salle, se remplissait des traits arrêtés du père, se mettait en apnée et ressortait aussitôt à l'air libre pour réaliser, en visionnant les rushes, qu'une falaise lui était tombée sur le crâne. Plus il revenait faire le plein d'images dans la salle, plus ses capteurs s'ouvraient : il n'aurait plus de père. Jamais. La terre avait tourné d'un cran.

Alors que j'observais la lèvre supérieure d'Abboué

qui s'était retranchée à l'intérieur de la bouche, une femme entra et s'écrasa aussitôt en confettis sur le sol. Monsieur Ali se jeta sur elle pour la sermonner. Si ses larmes, par malheur, touchaient le corps, elles allaient perturber sa traversée du ciel. Or, ce voyage ne devait susciter, chez ceux qui montaient à bord, que joie, satisfaction, envie, il devait même générer des candidatures spontanées. Le patriarche, qui avait bien vécu, méritait de reposer en paix, au sec. Compris ? La pleureuse fut virée sans ménagement et s'en alla déverser son chagrin en compagnie des autres femmes restées en retrait dans le couloir.

Bien vécu ? Les mots d'Ali sonnaient faux. Ce n'était pas vrai, Abboué n'avait rien vu de la terre, ni du ciel, ni du sommet d'un arbre, ni d'une grue de chantier. Il n'avait jamais mis les pieds dans un cinéma, théâtre, restaurant, bibliothèque. Pas de rencontre avec des étrangers, à part José, Joachim, Giuseppe, ceux du marché aux puces du Tonkin et du tiercé, de Mauricette. Le béton avait été son unique poste d'observation du monde. Pas de quoi remplir un album de photos.

Pas bien vécu, non. Pas bien du tout. Il avait voué ses années à ses enfants, afin qu'ils prennent des raccourcis et qu'ils accèdent plus vite au bonheur. La bonne vie.

Ali me regarda, comme pour voir si j'appréciais ses paroles de sagesse. Je préférai sortir, il m'énervait.

– Oui, tu as raison. Va pleurer dehors, c'est mieux.

Il était hors jeu.

Je retrouvai Farid devant l'entrée principale de la clinique, accoudé à une balustrade en béton, le menton à l'abandon dans les paumes de ses mains, les yeux braqués pour rien sur les immeubles d'en face. Je m'approchai de lui, lentement, craignant de l'effaroucher davantage. Son visage n'était marqué par aucune trace de larmes.

– Tu as prévenu la mère ? lui demandai-je en m'installant à ses côtés.

Pas encore, non. Il allait retourner vers elle, dans l'appartement devenu immense depuis l'hospitalisation de l'homme qu'elle avait accompagné durant soixante-dix longues années. Oui, il était sur le point d'aller lui porter la nouvelle. Il réprima une montée de larmes d'un grand reniflement. Notre courageuse Ouarda n'avait encore aucun soupçon. Son homme allait s'en sortir. Bien sûr, le jour de son évacuation par les pompiers, du fond de son brancard, la bouche vrillée, il lui avait lâché sur un ton prophétique que cette fois était la bonne, il sentait cette sortie définitive, mais comme d'habitude elle avait ironisé sur sa facilité à imaginer le pire et sur son manque de courage. Elle pouvait bien en parler, du courage, elle que les médecins avaient arrachée à la mort, il y a trente ans, en lui sectionnant l'intestin et en lui ouvrant un anus artificiel au milieu du ventre, elle qui faisait ses besoins dans des sacs de plastique collés à la ceinture, qui respirait maintenant grâce à un tuyau relié à une bouteille d'oxygène qui la suivrait jusqu'au dernier jour. Oui, elle se trouvait plus vaillante que son homme. À plus de quatre-vingts ans, elle polissait sa fierté féminine comme une revanche personnelle contre le sort que les mâles lui avaient réservé sa vie durant. Elle avait vécu dans l'Algérie des Français une enfance moyenâgeuse. Donnée à un homme dès l'âge de treize ans, elle avait accouché d'une fille deux ans plus tard, qui mourut à la naissance. La seconde avait connu le même sort tragique un an après. Elle avait donc été répudiée par son époux, pour cause de défaut de fabrication. Était retournée aux champs et aux labeurs de la ferme en attendant un prince charmant. Quelques mois plus tard, elle avait dû ouvrir sa couche à un autre homme, un paysan, choisi par ses proches. Il avait, de son côté, déjà répudié sa première femme qui lui avait donné une fille. C'était l'homme qui, en ce début d'avril 2002, à Lyon, venait de décrocher et la laissait terminer seule sa course autour du monde. Ensemble, ils avaient fondé la smala, sept enfants dont trois étaient nés avant l'Algérie de 1962.

Somme toute, malgré ses multiples perforations, sa vie n'avait pas manqué de sucre, et son Ulysse, qu'elle avait suivi dans son exil en France, avait été en définitive un bon époux. Bien sûr, il l'avait battue à maintes reprises, insultée, quand il était un vigoureux travailleur et se croyait obligé de prouver sa virilité pour faire bonne figure auprès des gens de sa montagne. Elle n'oubliait pas. Les traces étaient indélébiles et s'étaient muées en tatouages. Elle en avait même parlé plusieurs fois à ses enfants. Souvent, l'idée de fuir l'avait effleurée, de rentrer au pays pour échapper à ses griffes. Mais où serait-elle allée ? Sa famille avait été décimée par la peste, le choléra et la misère. À la mairie d'Aït Hanoucha où mon frère Farid s'était récemment rendu pour établir un certificat de naissance, l'employé avait constaté que le registre des naissances ne portait aucune trace de ma mère. Elle n'avait pas d'existence. Pivotant sur elle-même pour faire le point sur sa vie, elle était navrée de voir qu'elle était bel et bien prisonnière de sa situation de femme de travailleur immigré. Le pays du général de Gaulle, qu'elle appelait *de Gnoune*, lui avait octroyé un statut d'ayant droit de son mari, fidèle cotisant à la Sécurité sociale et aux Allocations familiales.

Le temps était passé, adoucissant le stress et la rudesse du mari qui avait atteint l'âge de la retraite sans trop de séquelles, échappant aux pièges mortels du ciment, du parpaing, des pièces préfabriquées trimbalées par la grue au-dessus des têtes nues des maçons. Il avait mis de l'eau dans son petit-lait, avait cessé de la battre, de lui lancer des ordres pour commander son café, son assiette, avait même fini par lui parler, quelques fois. Il avait besoin d'elle en tant que personne humaine. C'était sa revanche à elle de s'être attachée de toutes ses forces au bastingage, au moment des cyclones, des maelströms. Et puis, l'un après l'autre, les enfants avaient quitté le foyer familial, et elle et lui s'étaient retrouvés entre quatre murs, entre deux cœurs. Heureusement pour elle, le rustre paysan devenu maçon s'était voûté et converti en vieux retraité, croyant. Leurs voyages retours en Algérie s'étaient espacés à cause des médicaments qu'on ne trouvait qu'en France, de la lassitude, de la désillusion que suscitait le naufrage de leur pays natal. Désormais, le grand appartement de la cité lyonnaise, à portée de main de la pharmacie, de la boulangerie, du supermarché, était devenu leur fontaine. L'eau, disponible en permanence dans les robinets, coulait à flots.

Ils ne pouvaient plus s'échapper l'un de l'autre.

Devant la clinique du Tonkin, Farid passait des appels téléphoniques pour répandre la nouvelle, animé par une surprenante lucidité. Il ne laissait pas au chagrin le temps de l'envahir, pour une bonne raison : il était trop occupé. En train d'organiser la cérémonie religieuse, de choisir un imam qui allait prononcer les prières de l'absent, de discuter des modalités de rapatriement du corps au pays, en avion. Dans tous ces domaines, rien n'était acquis et des difficultés étaient embusquées autour de chaque point à régler. C'était comme ça, une réalité sociale incontournable chez nous. On n'aimait pas quand les choses se déroulaient normalement, sans incident de dernière minute, sans conflit, sans folle passion. Il fallait de l'adrénaline en grosse quantité. Voilà pourquoi Farid se démenait comme un vieux routier de l'inhumation dans cette communauté masochiste, maîtrisant l'enchaînement des démarches, malgré son inexpérience.

Pas comme moi. Depuis l'éboulement de la falaise, j'étais hors service, absent, obstruant le passage des véhicules de secours. J'avais même écarté de moi l'idée que :

1. mon père devait être enterré,
2. au pied de sa montagne natale, donc être rapatrié,
3. il fallait lui trouver une place d'avion sur Air Algérie,
4. creuser un trou au cimetière,
5. balancer de la terre sur lui pour le recouvrir.

Farid avait intégré ces phases de deuil dans son cerveau. Il était confiant, car de nos jours les rapatriements de corps vers l'Algérie étaient relativement aisés, c'est en tout cas ce que le responsable des pompes funèbres musulmanes lui avait déclaré. Il pivota vers moi, avec un air surpris.

– D'ailleurs le type des pompes funèbres m'a demandé si le défunt n'était pas de la même famille que l'écrivain…

Ce fut comme une légère brise qui souffla et me rassura. Abboué allait être pistonné pour son voyage. Peut-être surclassé.

Farid revint aux choses urgentes :

– Bon, alors, qu'est-ce que tu fais, toi ?

Il rangea son portable dans sa sacoche.

Il allait voir notre mère.

– Moi je reste ici, encore un peu…

Il descendit quelques marches, avant de s'arrêter net à la manière de l'inspecteur Columbo se grattant le cuir chevelu.

– Putain, je ne sais pas comment lui annoncer ça… J'ai peur qu'elle ne supporte pas le choc, murmura-t-il sans se retourner.

Je ne sus qu'ajouter. C'était en effet une sacrée responsabilité. Notre mère était si diminuée physiquement qu'elle n'allait peut-être pas survivre à cette information irrémédiable. Quels mots auraient la prétention de conclure sans tuer soixante-dix ans de vie commune ? Quels mots ? Il est mort ? Parti ? S'est éteint ? Dieu l'a appelé ? Il n'est plus. Ou bien un rébus du genre « Il est aime, eau, air, thé ».

Ouarda ne comprenait ni le français des Céfrancs ni les rébus des Rebeus.

Dans ma tête, je fis un rapide survol des formules disponibles en langue arabe de la rue, l'issue était la même, la mère allait suffoquer si on lui larguait ce rocher en une seule pelletée. Farid pourrait lui faire croire que l'état de santé de son mari était un peu difficile, que les médecins attendaient de voir avant de se prononcer, de manière à injecter la pierre à petites doses dans son cœur.

Je ne voyais pas du tout comment il pouvait s'en sortir. Il finit sa descente, torturé par la question. J'étais soulagé de ne pas être chargé de cette mission. En vain, je cherchai des subterfuges pour venir à sa rescousse. Je le regardai monter dans sa voiture, tandis qu'autour de moi, des membres de la tribu, de plus en plus nombreux, noircissaient le parvis de la clinique, chacun y allant de son commentaire affûté sur les circonstances de la mort, la vieillesse en général, le temps passant.

Machinalement, j'embrassai quatre ou six paires de joues qui s'étaient avancées vers les miennes. Les visages flottaient dans le brouillard.

Pris de vertige, je remontai dans la salle de réanimation pour me replonger dans le recueillement des mains réunies et des têtes inclinées.

Un troisième frère était arrivé. Un mal-aimé. Je le vis poser sa main sur le front dégarni de notre père et écouter. Il voulait reprendre le contact avec lui pour s'affranchir des choses du cœur qui s'étaient coagulées, solliciter le pardon pour les fautes. Le geste polarisait toute l'attention des gens qui encerclaient le corps inerte.

Il se mit à pleurer, égrenant ses regrets, sous le regard à l'affût de l'inspecteur Ali. En une seconde, il fut maîtrisé et mis au régime sec. J'en profitai pour m'esquiver. Je jetai un dernier coup d'œil vers cet homme qui n'était plus et que j'avais tant admiré. Je me dis que j'aurais pu moi aussi poser ma main sur son beau crâne pour le caresser pendant qu'il était encore chaud, mais il me manquait quelque chose pour accomplir ce geste.

*

Me voilà seul dans la rue, au milieu des voitures en stationnement. La terre a cessé sa rotation. Je ne sais où aller. Je veux retarder le plus possible mon arrivée chez ma mère où des dizaines de personnes doivent déjà être agglutinées, dans le flot des larmes. Ma valise me suit, docilement. Je la fais rouler sur le trottoir et puis finalement elle me double, prend les commandes et se dirige vers un arrêt de bus qui mène au centre-ville.

Je me retrouve chez un ami en train de boire la boisson nationale du Brésil à base de vodka. Les deux premières gorgées ont raison de ma retenue. Je me mets à débiter des mots désordonnés, sans logique. Mon ami écoute sans renvoyer la balle. Je ne vois que ses deux boules noires qui s'ouvrent et se ferment au gré des déferlantes que mon cœur roule et expulse sous pression.

J'engloutis mon verre cul sec.

– T'en veux un autre ?

Non, je dois monter au front, à présent. Il me faudra une bonne dose de sobriété pour l'épreuve. À cette heure-ci, Farid a dû trouver les mots. Je n'ai même pas le courage de téléphoner pour me renseigner sur le niveau de la crue qu'ils ont provoquée.

*

La barre d'immeuble. Elle m'apparaissait comme un radeau médusé tenant sur pilotis des milliers de personnes qui avaient échoué ici, par manque d'instruments élémentaires de navigation. J'avais dépensé ici de précieuses années, moi aussi. Un vrai gaspillage.

J'ai garé la voiture sur le parking, à côté d'une Renault calcinée, victime de trois nuits d'échauffourées nocturnes entre les teneurs de murs et la police, dont les informations télévisées avaient rendu compte ces jours derniers. Le ciment et le béton à trop forte dose nuisaient gravement à la santé. À l'arrière de la voiture, un siège-bébé était toujours à sa place, mais parti en fumée. À voir sa carcasse métallique décharnée, j'imaginais un nouveau-né qui aurait été pris dans le piège de l'incendie et qui lèverait ses petites mains au ciel pour alerter de sa présence et appeler sa maman au secours, comme d'autres.

Des jeunes vieux avachis sur les marches de l'escalier me regardèrent monter. Puis les dépasser. Sans commentaire. Autour d'eux, c'était toujours ces mêmes images de remblais.

Je sonnai à l'interphone de l'entrée, nouvellement installé par l'organisme de location pour sélectionner les bons visiteurs et écarter les indésirables. Pas de retour. Je sonnai de nouveau.

– La porte est ouverte, m'informa un des avachis.

Je la poussai, elle s'ouvrit effectivement. Une voix jaillit de l'interphone au moment où je n'en avais plus besoin, comme à l'accoutumée.

– Tu mets un coup de pied, tu l'ouvres comme un rien, cette porte *zarma* de sécurité ! lança le jeune. Ils nous prennent pour des chiens…

Sa bouche remonta carrément jusqu'à l'oreille gauche quand il lança l'injure, tant il semblait dégoûté du traitement que la société leur réservait.

– Oui, c'est qui ? Allô ? Oui ? Qui c'est ?

Je préférai ne rien répondre à la voix synthétique qui débitait en boucle sa question à l'embouchure de l'interphone, pas plus au jeune que je soupçonnais d'avoir lui-même fracassé la porte avec ses solides Nike requins.

Dans le hall d'entrée, d'autres jeunes étaient rivés au mur, en position de héron ou de grue, attendant le passage d'un train électrique, d'un travail bien payé ou d'une jeune habitante à reluquer, aussi absents que leurs collègues de dehors. J'appuyai sur le bouton d'appel de l'ascenseur. Il fonctionnait. Il ne pouvait accueillir que cinq personnes de poids raisonnable et n'avait pas été conçu pour le transport des cercueils, comme s'il était admis lors de la construction de ces immeubles pour gens en transit qu'il était formellement interdit de mourir à domicile. Surtout aux habitants des derniers étages. Pendant de longues années, en regardant mes parents vieillir, j'avais été angoissé par ce court-métrage : en cas de décès *in situ* au dix-septième étage où ils habitaient, les pompiers allaient être obligés de transporter le cercueil par l'ascenseur, à l'intérieur de la boîte, le corps allait forcément glisser et se tasser en accordéon. Je trouvais cette position indigne pour une mort, surtout celle d'un de mes parents. Même dans la mort, il fallait rester debout !

Au fond, Abboué avait dû lui aussi anticiper ces problèmes logistiques. Son départ paraissait avoir été réglé en fonction de tous ces paramètres : chute dans la maison, fracture d'un petit os de la cheville, immobilisation de deux semaines au lit, déclin de l'activité physique et donc du moral, éclaircie et sentiment de guérison au bout de trois semaines, tentative de marcher de nouveau sans béquilles : rechute. Et au final, intervention des pompiers de son vivant. Sortie en toute dignité de la maison, sous les yeux de sa femme tellement confiante qu'elle croit qu'il simule. Départ vers le ciel à partir de la terre ferme.

Le filage de la pièce avait été bien mené, l'ascenseur l'attestait. Il parvint au dernier étage. Mon cœur se rétracta nerveusement. Sans aucune information sur la réaction de ma mère à l'annonce de la mort d'Abboué, je m'attendais au pire. Sur le palier, le chien des voisins m'accueillit en hurlant à la mort et son maître lui cria de fermer sa gueule, s'il ne voulait pas qu'il le balance par le balcon. Le chien se la ferma, radical. Je m'approchai de la porte de notre appartement. Des bruits de voix normales indiquaient qu'aucun drame ne s'était produit. Ma mère n'était pas dans le coma. Je sonnai, une de mes sœurs, Grande Hypophyse, m'ouvrit. Elle me demanda si c'était moi qui n'avais pas répondu à l'interphone quand elle avait parlé. Bien sûr, je niai les faits.

Dans les chambres, des nuées d'enfants jouaient comme si de rien n'était. La cuisine était encombrée de femmes qui préparaient à manger, un couscous pour les centaines de personnes qui allaient bientôt venir présenter leurs condoléances, du café par dizaines de litres. J'embrassai quelques-unes d'entre elles. Chacune s'efforçait de tenir les rênes du cœur et elles avaient bien raison, parce que si on laissait libre cours à la démesure de mes sœurs, l'ambiance allait exploser dans le F5 comme un feu d'artifice dans une grange à foin.

Je me dirigeai droit vers ma mère, dans le salon. La pièce avait été vidée de ses meubles, à part mon buffet moderne toujours à la même place. Des tapis recouvraient le sol, de quoi permettre aux visiteurs de s'asseoir comme au bled et de manger à même le sol sur de la laine synthétique. Au milieu d'autres femmes, ma mère était assise devant la baie vitrée qui offrait une heureuse perspective sur les crêtes des monts du Lyonnais. Dès que je fis irruption dans la pièce, elle se tourna vers moi et, sans hésiter, je me jetai à genoux sur le tapis comme dans un bowling, la pris dans mes bras en éclatant en sanglots. Les femmes d'à côté se mirent à fondre à leur tour et bientôt mes sœurs se lancèrent dans le concert, un requiem. Les mouchoirs sortaient en quantité industrielle pour éponger les ruissellements, puis les serviettes de bain. Ma mère avait résisté en gardant ses mains sur les vannes, mais quand elle me vit effondré, elle se laissa à son tour emporter dans le courant, gémissant que c'était le meilleur des hommes, oui le meilleur des hommes qui venait de partir, elle qui n'en avait connu que deux. Après quelques sanglots longs, elle accrocha brusquement ma main droite et la colla violemment contre sa poitrine en relevant l'échancrure de sa robe berbère. C'était un geste étrange, mais j'abandonnai là mes doigts ouverts dans l'espoir qu'ils allaient réchauffer son cœur glacé.

Elle n'avait pas lâché la barre, c'était bien.

Les larmes séchèrent goutte après goutte. Des hommes, des femmes, des couples arrivaient tour à tour dans l'appartement pour porter un peu de notre tristesse sur leurs épaules. Et comme le sens de l'hospitalité était sacré, il était du devoir impérieux de mes sœurs, aidées de cousines, de les accueillir avec moult café, gâteaux et assiettes de couscous. On pleurerait plus tard, il serait toujours temps.

Le brouhaha commençait sérieusement à assiéger mes tympans. J'avais encore les radiations du colloque de Tanger sur le cœur, les nerfs et dans les jambes, mes résistances étaient affaiblies. Je m'esquivai en jetant un coup d'œil vers ma mère. Un grand mouchoir en main, elle semblait flotter au milieu de la foule agitée, écoutant les femmes s'égosiller autour d'elle, faisant pivoter son cou tantôt à droite, tantôt à gauche. J'étais rassuré. La foule lui était utile. Le bruit également. En douce, j'allai me réfugier dans mon ancienne chambre aux tapisseries de roses, quand on sonna à la porte principale. Le chien du voisin n'en pouvait plus du charivari. Comme j'étais devant, j'ouvris machinalement. C'était madame Bensaïd. Un plaisir de la voir chez nous, cette voisine de plus d'une génération. Elle avait eu vent de la nouvelle et venait naturellement rappeler qu'elle était là, à quelques étages plus bas, présente. À court de commentaires, elle me dit qu'hier encore elle voyait mon courageux père faire ses courses, aller à la mosquée à pied, doucement mais déterminé, et aujourd'hui c'était fini, on ne le verrait plus, quelle perte, mais on tenait tous le même cap, n'est-ce pas? Ou plutôt, c'est le cap qui nous tenait, non?

Je répondais oui à tout. Sur le moment, je réalisai qu'en plus de l'agitation et du tintamarre de casseroles, tous ces mots qui pleuvaient à verse sur la famille du défunt étaient destinés à nous faire oublier la mort. Et c'est vrai, pendant un temps, ils faisaient diversion.

– Ça me fait vraiment plaisir que vous soyez venue, j'ai assuré à madame Bensaïd.

Mettant en scène sa bonhomie, elle prit une position de Méditerranéenne, laissa choir ses joues sur son menton, écarta ses mâchoires, releva ses paupières, ouvrit ses deux mains en bouquet pour les offrir au ciel :

– Bouhhhh… Et qu'est-ce que tu croyais ? Que j'allais pas venir ? Ça va pas, non ? C'est pas parce qu'on n'est pas d'accord sur la terre là-bas qu'on ne peut pas trouver un terrain d'entente ici, non ?

J'acquiesçai encore. Nous avions toujours su diplomatiquement éviter le sujet délicat de la Palestine.

– Et toi, les enfants, ça va ?

– Bien, merci.

– Et ta femme ?

– Laquelle ?

Elle pouffa généreusement.

– Ah oui, c'est vrai, tu as divorcé, mon fils me l'avait dit… Et tu es remarié ? Non ? T'en fais pas, une de perdue, dix de retrouvées, comme on dit.

Heureusement, elle faisait les questions-réponses, ce qui m'épargnait un peu de l'énergie qui alimentait mon cerveau. Je brûlais d'envie de vider mon sac et de lui parler de Marwan, mais je me retins, le contexte ne s'y prêtait guère. Une seule chose, un jour, serait susceptible de calmer ma soif de vengeance : que Yasser Arafat aille en personne traquer le malotru à Saint-Jean-d'Acre, le débusque, lui sectionne les parties génitales et me les rapporte dédicacées de ses larmes de sang.

Yasser Arafat en personne.

J'aurais dû me méfier. Écouter la petite corne de brume qui avait poussé son râle dans mon corps au moment de notre rencontre aux États-Unis.

Je le vois dans notre appartement, au milieu de notre salon, alors que nous avons organisé une petite *party* entre amis, des étudiants de l'*Arab Club* de l'université américaine où nous nous sommes installés. Marwan est en train de porter ma fille Louisa qui a deux ans et de la jeter en l'air au-dessus de ses bras boursouflés en disant «Oh la possédée, oh la possédée», et elle pleure parce qu'elle a peur. Lui est en train de jouer, et il est l'invité de la famille, alors je ne peux pas lui crier de cesser ce jeu stupide, au risque de lui faire perdre la face. J'attends que ma femme intervienne. Elle ne bouge pas. Elle est amusée. La corne de brume a sonné à ce moment-là et les pleurs de ma fille l'ont couverte, tellement ils étaient stridents. Elle appelait au secours. Elle m'appelait. Je n'ai pas bougé. J'entendais la complainte et j'avais les deux pieds dans le ciment, immobilisé par cette valeur sacrée, l'hospitalité. J'aurais dû m'approcher de lui, lui mettre une manchette dans le cou et lui arracher ma fille des bras.

J'aurais dû écouter la corne, avant d'en avoir deux sur le front et trois dans le cœur.

J'aurais dû garder le cap, en me fiant à mon phare.

Comme un benêt, j'ai fait l'hospitalier.

Qu'on ne me parle plus de solidarité fraternelle, de Gamal Abdel Nasser, de Ben Bella, Ben Tata, Ben Titi, de Fathi ou de Fatah. J'envoie au diable quiconque entre dans ma bulle en se réclamant de la même origine. Je n'ai plus aucune origine. Mieux encore : je suis le seul exemplaire dans mon origine. Un original.

Je me suis fait refaire le regard. Dans mes nouveaux yeux, il n'y a plus d'homme palestinien, israélien, américain, français, algérien ou marocain. Le seul type d'homme que je reconnaisse dorénavant est le porteur de couilles. C'est un destroyer. Son sexe est son cordon ombilical qui le relie à l'univers. Point c'est tout.

J'accompagnai madame Bensaïd auprès de ma mère. Elle l'embrassa comme là-bas. Malgré son état vaseux, ma mère était ravie de la voir. Elle s'écria en noyant les mots de larmes :

– Hou là là, *que j'essuie comptant ! J'essuie comptant ! Marci, marci.*

Une de mes sœurs se crut obligée de traduire.

– Elle a dit « comme je suis contente ».

Madame Bensaïd se rebiffa de nouveau dans le style arabo-andalou qu'elle n'avait pas perdu cinquante ans après son retour en France :

– Tu me traduis ? Mais tu es folle ? Tu me prends pour une Française ou quoi ?

Ma sœur rit. Les femmes autour aussi, en plaçant leurs mains sur les bouches par pudeur. Je les laissai entre elles et je m'enfermai dans ma chambre. Et dire qu'à deux reprises j'avais invité Marwan à faire connaissance avec ma famille. Il était accueilli en frère par la smala élargie, on sortait les grands plats en son honneur, la vaisselle cachée dans le buffet du salon et qui ne servait que pour les royales occasions. L'occasion valait la porcelaine de Limoges.

Une de mes nièces, en attente d'un prince charmant, visait même le professeur de mathématiques d'un œil lavé de toute pudeur. Malgré le péché qu'il commettait en s'empiffrant de couscous avec de la baguette gauloise, il représentait un bon parti à ses yeux. La pauvre, si elle avait su qu'il était venu au dîner accompagné de son amante, mon épouse, qu'il était déjà *engaged as we say in english*. Si elle avait su qu'ils faisaient l'amour dans mon appartement, dès que j'avais les baskets tournées pour aller faire mon jogging le week-end, laissant ma fille endormie dans la chambre attenante.

Si elle savait.

Si j'avais su.

J'aurais dû écouter la corne qui annonçait l'horreur aux doigts de roses.

Mozer feuker!

La haine me sortait la transpiration des veines.

Dans mon ex-chambre aux murs fleuris, je proposai aux enfants qui occupaient les lieux de jouer à cache-cache. Une petite fille débrouillarde et vive ferma les yeux aussitôt et cria qu'elle, elle était déjà cachée, même qu'elle commençait à compter à rebours. Je lui dis d'attendre un peu. Ils étaient tous enchantés. Alors, je fis le clap de démarrage et leur conseillai d'aller voir ailleurs si j'y étais. Je comptai jusqu'à trois. Ils partirent docilement. De toute façon, j'étais tellement morcelé qu'ils allaient certainement trouver quelque chose de moi ailleurs. Ils partaient donc gagnants. Sauf la petite fille, elle était déçue.

J'étais gagnant aussi, en tranquillité, mais pas pour longtemps car l'appartement débordait à présent. Un groupe d'hommes entra dans ma chambre, à la recherche d'une aire de parking. Parmi eux, un vieil ami de mon père, Oncle Rammi, que je n'avais pas vu depuis des années. Il m'embrassa et, sans ambages, se décida, sur un ton paternaliste, à me faire part des blessures que mes absences avaient occasionnées dans le cœur de mon papa, qui s'en était ouvert auprès de lui à maintes reprises :

– Mais où as-tu erré toutes ces années ? lança-t-il en inclinant sa tête de dépit pour moi. Où as-tu erré ?

Il doublait toujours ses questions.

Où avais-je en effet dérivé, moi qui avais accepté de ne pas voir mes enfants grandir, qui m'étais laissé avaler tout cru par la France et ses muses.

– Tu t'es perdu, ajouta-t-il.

J'allais mourir seul, comme un chien, est-ce cela que je voulais ?

– J'ai fait ma vie, répondis-je sans conviction, tout en me demandant si les chiens mouraient vraiment seuls. Comment Rammi pouvait-il le savoir, lui qui les détestait cordialement?

Non convaincu par mes arguments qu'il n'écoutait d'ailleurs pas, l'oncle ôta tranquillement ses chaussures du marché aux puces. Horreur! Mon nez habitué aux délicates fragrances de chez Armani s'en offusqua violemment, réclamant qu'on ouvre la fenêtre. Ce que je fis sans tarder.

– Non, tu n'as pas fait ta vie, tu t'es égaré! appuya-t-il, péremptoire, tout en étalant ses jambes dilatées et ses pieds au beau milieu du cercle que nous formions.

Égaré: le verbe était encore plus assassin que le précédent. Il trouvait que le cap que j'avais suivi ne menait pas à l'île de la bonne vie, que je m'étais laissé griser par les mauvais vents, soudoyé par les sirènes de la notoriété. Peut-être même que ma femme et son amant s'étaient rencontrés pour me faire payer mon audace de vouloir monter au ciel, moi qui étais né dans les caniveaux. J'étais puni d'avoir écrit des romans, des années durant, plutôt que de m'occuper du jardin de mon épouse, de ses réveils, de son éveil. Monsieur faisait en plus du jogging!

Tous les chasseurs d'étoiles savent qu'à chacune de leurs battues, ils risquent de perdre leur place au soleil. La reconnaissance coûte cher. J'avais écrit trop de livres sur des histoires d'amour qui se terminent mal, surexposé ma tête à la télévision, dans les journaux. Pour quels revenus? Trouver l'errance, le vagabondage et la solitude. J'avais décidément mal calculé mon itinéraire. Pire que cela, j'avais fait souffrir mes vieux parents que le mauvais sang rongeait à cause de mes frasques.

Ma femme avait fait l'amour avec un frère et c'est

moi qui m'étais fait baiser. Je récoltais les noyaux de ce que je n'avais pas semé, l'amour, l'attention, le dévouement. Miriam, la linguiste du colloque Sacré et Tabou, avait vu juste. Du reste, je devrais recommander Oncle Rammi pour les prochaines rencontres internationales sur «le coût de la reconnaissance sociale», il aurait certainement un bel exposé à faire avec l'étude de mon cas.

Agacé, je ne réagis pas. Je connaissais bien ce genre d'individu, un clone de Monsieur Ali, penseur pour autrui, se réclamant de la philosophie d'Ibn Khaldoun, lui qui n'avait jamais ouvert un livre de sa vie. Las, je le laissai s'épancher sur ma dérive dans les courants désintégrateurs de l'Occident.

Hélas pour moi, il considéra mon silence comme un aveu et s'engouffra allègrement dans la brèche ouverte, sans se soucier des autres personnes otages du réquisitoire. J'eus la tentation, un instant, de le remettre à sa place en le soumettant à rude épreuve : il allait expliquer à l'assemblée quel genre de réussite était sa vie. Mais je préférai rentrer mes piques. Je me repliai en moi. À quoi bon? C'était un jour funèbre, et Oncle Rammi était à côté de ses pompes.

Avec beaucoup de mes proches, un décalage s'était instauré au fil des ans. J'avais fait des études, donc je n'étais plus le même, je me prenais pour un autre, des arguments qui, lors des altercations en public, rebutaient définitivement les enfants des études et de toute idée à caractère intellectuel.

Je ne souhaitais plus être membre d'une famille.

On sonna de nouveau bruyamment à la porte de l'appartement. Peu de temps après, ma sœur entra dans la chambre où je méditais pour m'informer qu'une troupe de barbus religieux était arrivée et qu'il fallait que je les accueille. Oncle Rammi s'interposa.

– Reste là. Qu'est-ce que tu connais à la religion, toi ? Laisse le vieux s'en occuper…

Je hochai la tête d'exaspération, mais j'étais malgré tout ravi de son intervention.

Les religieux, une demi-douzaine de personnes, envahirent le salon, vêtus de leur uniforme sombre, sévère. Sur leurs visages ombrageux, on sentait que depuis longtemps déjà les traces de joie de vivre s'étaient fossilisées. Les sourires avaient été engloutis par les plis de la peau. Machinalement, comme un envol de flamants roses, les femmes se replièrent dans les chambres, la cuisine et sur les balcons qui ceinturaient l'appartement. Les gens du Livre ayant pris possession des lieux, leur présence devenait incompatible. Les hommes se regroupèrent sur les tapis pour réciter la prière de l'absent, à genoux, mains face au ciel, suivant le rythme de l'imam qui donnait le tempo. Jamais vu autant de concentré de religion à la maison en quarante ans de présence ! Comme si les cérémonies ne nous concernaient plus, j'observais avec stupéfaction que notre père disparu n'avait plus aucun lien de parenté avec nous. Il était la propriété de la communauté des croyants, à présent. Un bien public.

Comme moi, d'autres jeunes gens, pratiquants non croyants de mon espèce, regardaient attentivement, émus, un peu penauds, largués, les anciens déclamer les paroles sacrées qui aidaient les serviteurs de Dieu à accepter le sort de la mort. Mine de rien, en de tels moments, ces croyances avaient le pouvoir de me réconforter : Abboué était parti dans la bonne direction pour rejoindre le Paradis. La route des alizés.

Farid, qui n'avait jamais mis les pieds dans une mosquée, ouvrit alors ses mains et, emporté par la vague, fit semblant de prononcer des paroles sacrées.

Les paroliers des versets du Coran avaient l'allure de rappeurs, débitant des phrases dans un enchaînement accéléré, dandinant leur torse comme un balancier devant un mur imaginaire, celui séparant la vie ici de la vie là-bas. Autour d'eux, des enfants suivaient la scène, médusés. La petite fille que j'avais invitée à jouer à cache-cache s'agenouilla pour imiter son père. La scène, pourtant cocasse, ne réussit à déconcentrer personne. L'instant n'acceptait nulle plaisanterie.

Le salon s'était transformé en scène de théâtre et, dans la salle, j'étais le seul spectateur. Il y avait sans doute ma mère, aussi, quelque part, mais dans le halo des pâles lumières indiquant les issues de secours, je ne la distinguais pas. Je ne me laissais pas prendre au jeu. C'est mon père qui était mort, pas celui de tout le monde. Demain, dans quelques jours, plusieurs années, ce sont mes larmes qui couleraient sur mes joues lorsque son image reviendrait pour me rappeler l'eau de ma source. Tous ces gens assis sur les tapis de notre salon n'y songeraient plus.

À la fin de la prière, les femmes refirent surface, apportant les assiettes de couscous, les plateaux de viande et d'immenses bouteilles en plastique de deux litres de boissons chimiques colorées sur lesquelles les enfants accros se jetèrent avant les adultes. Un rictus ironique glissa par-dessus mes lèvres. La génération colorants côtoyait la génération couscous-Coca.

Oncle Rammi s'empara prestement d'une bouteille de Fanta avant qu'un affreux gamin ne la lui subtilise, s'en versa un verre plein, se tourna vers moi, brandissant l'odieux breuvage de *hard discounter*.

– Tiens, bois. Ça te fera du bien.

Je fis non de la tête.

– Vas-y, bois. C'est bon pour le sang.

– NON ! (Lave-toi les pieds avec !)[1]

– Ah, c'est vrai, toi tu es habitué au champagne, maintenant, comme les grosses huiles…

Je poursuivis mon hochement de tête, pour ne pas donner prise à ses provocations.

Un barbu m'adressa un regard transversal.

– Mais… c'est toi qui écris des livres, non ?

– Bien sûr que c'est lui, m'a remplacé Oncle Rammi. C'est moi qui l'ai élevé.

Tiens, il semblait fier, à présent, de me connaître.

Le regard du barbu s'alluma, risquant de mettre le feu à sa barbe, signe imminent qu'il était sur le point de braquer le Coran sur mes perversions champenoises.

– Tous mes enfants ont lu tes livres à l'*icoule* !

Il n'en revenait pas.

– L'école, corrigeai-je.

Je ne pouvais pas la rater, cela faisait revivre quelques beaux dimanches d'automne au marché aux puces avec mon père.

– Quoi ? fit l'homme.

Il n'avait pas saisi la correction.

– Rien, rien, laissai-je filer.

Il hocha la tête, il allait dès la fin du repas rentrer chez lui en courant et prévenir ses enfants qu'il avait rencontré l'écrivain en chair, en os et en pleurs. Ils apporteraient leurs exemplaires pour une signature. OK ?

OK, ça baigne.

– Un Arabe écrivain, dont les livres sont lus à *l'icoule des Francisses*, c'était quand même pas rien…

L'émotion le faisait bafouiller.

1. Pensé mais pas dit.

– Ça change de la racaille qu'on voit partout à la télévision… poursuivit un autre.

Oncle Rammi ne rata pas l'occasion.

– Et dans le hall ? Vous ne les avez pas vus, dans le hall ? On dirait des rats. Ils crachent partout, ils cassent tout, ils brûlent… L'autre jour ils ont brûlé la voiture d'un Français, il y avait encore le siège-bébé à l'arrière ! Et s'il y avait eu le bébé, hein ? Qu'est-ce qu'ils auraient dit de nous ? Quelle honte…

– Un jour, ils reviendront dans le droit chemin. Ils reviendront, c'est à nous de faire le travail. Ils se sont égarés… conclut solennellement l'imam.

Oncle Rammi, en entendant ces profondes paroles, m'envoya un signe de la tête pour me faire constater combien il avait raison à mon propos. L'imam venait d'exprimer mot à mot ce qu'il m'avait reproché. Il utilisait même le verbe «égarer», comme lui. Je lui rendis son signe en murmurant dans ma tête : «Tu devrais cesser de te saouler au Fanta et passer à la Veuve Clicquot, vu ton état, mon oncle ! »

– Au nom d'Allah !

L'imam donna l'ordre de manger. Dans une chorégraphie qu'il orchestrait, les hommes inclinèrent leur appareil digestif vers les plats disposés au milieu du cercle, fourchettes et cuillères entamèrent leur ballet et les mâchoires se lancèrent dans leur entreprise de broyage. La mort ne coupait pas l'appétit, au contraire. Les paroles s'étaient rangées dans un coin de la gorge pour laisser le champ libre à la semoule, sauce mouton, avec carottes, courgettes, pommes de terre et pois chiches. Oncle Rammi, dont l'âge avancé empêchait de suivre le rythme effréné des plus jeunes, buvait cul sec des pleins verres d'eau *gazouz* colorée à l'acide *astrocorbiconauseam*, pour expédier le plus vite possible les boulettes de viande dans son gésier, sans mâcher, reprendre sa respiration et s'envoyer aussitôt la suivante. Comme au Texas, l'ambiance était là aussi à la productivité. Chaque geste devait avoir un rendement maximal. Le ratio énergie dépensée / quantité avalée était intériorisé et désormais considéré comme une règle du jeu commune par ces anciens paysans de la montagne kabyle devenus ouvriers de l'industrie du *BiTiPi*.

L'estomac noué, je me contentais d'observer cette frénésie depuis le fond du théâtre. Elle me rappelait d'un peu trop près un goinfre de Saint-Jean-d'Acre. J'entendais en sourdine des encouragements à me jeter dans la marmite : « Vas-y, mange, mais vas-y, qu'est-ce que tu attends ? Tu n'auras plus rien dans deux minutes, vu le débit moyen d'engloutissement. » Et ceux d'Oncle Rammi : « Mais bois un coup, vieux. Ça va te colorer le moral. » La semoule semblait excellente et le fumet de la sauce alléchant, mais j'apercevais en plein milieu la tête glacée de mon père que je n'osais toucher, je sentais l'odeur fétide des couloirs de la clinique et de la chambre 33, puis celle de la salle de réanimation. J'en étais estomaqué.

Mes genoux, à même le sol, souffrant de la position, m'informèrent qu'il était temps de bouger. Je me levai sous prétexte de laisser ma place à un jeune croyant en gandoura et baskets Nike qui venait de caser son mètre quatre-vingt-dix dans l'entrebâillement de la porte. Jamais vu de ma vie, lui non plus, à croire qu'au cours de ces dernières années mon père s'était fait pas mal de copains de tous âges à la mosquée du quartier.

– Où tu vas encore ? questionna Oncle Rammi.

Il se prenait pour mon nouveau père. Mon parrain !

– Là, répondis-je simplement.

– Où là ?

– Là.

– Bon, alors vas-y, fit-il en se servant un bout de mouton dans le plat qui passait devant lui.

Il voulait montrer que c'était lui qui donnait les autorisations finales.

En me voyant sortir de l'appartement, la petite fille rigolote m'arrêta comme un gendarme avec sa main droite :

– Où tu vas ?

– Respirer.

– Tu reviens ?

– Oui.

– Tu joueras à cache-cache avec moi ?

– Pas maintenant.

– D'accord. Je t'attends encore.

*

Je suis retourné dans mon appartement du centre-ville. Dans la voiture, j'ai pleuré tout ce que j'avais économisé chez ma mère afin de ne pas provoquer d'inondation chez les autres. J'appelais mon père au ciel, pour dénouer ma gorge nouée pire qu'un poing serré. C'est drôle, j'appelais mon père comme je l'avais entendu appeler sa mère à la clinique du Dôme. C'étaient mes marins génétiques qui aboyaient à la mort, pas moi précisément.

Seul, écrasé dans mon petit appartement, je ne trouvais pas le sommeil. Allongé sur le lit, j'essayais de deviner à quelle étape du voyage devait être Abboué en ce moment, sur quelle autoroute du Paradis il avait fait halte pour se restaurer. Me voyait-il pleurer ?

Oui, bien sûr, d'en haut il avait une vue plongeante sur tout. Je me suis concentré comme jamais, certain d'établir une communication avec lui. Je comprenais qu'il ne pouvait me parler à cause de sa lèvre qui s'était rétractée, alors je lui ai simplement proposé de remuer quelque chose dans l'appartement pour m'envoyer un signe. Un petit signe. Faire circuler un courant d'air qui allait rabattre la fenêtre, renverser un verre, allumer la radio, une lumière, décrocher une photo. Quelque chose. Allez, vas-y. J'attends.

Je scrute d'un regard englobant, sans respirer, tous les objets qui se trouvent dans l'appartement et qui sont susceptibles de réceptionner le message. Je m'adresse à mon père, je souffre, il va forcément me répondre. Quoi ? Mon père, avec qui j'avais passé toute ma vie, tout à coup devrait sortir du rang, partir sans laisser d'adresse ? C'était impensable. Son départ ne date que de quelques heures, le lit est encore chaud, il va réagir, même s'il est très occupé aux préparatifs. J'ausculte chaque parcelle de l'appartement. Et l'incroyable se produit. J'en étais sûr ! Bravo Abboué.

*

Non. Bravo rien du tout. C'est pas vrai, il ne se produisit aucun incroyable du tout, pas un seul début, rien, pas un moustique ne battit de l'aile dans l'air, pas le moindre signal. Le silence augmenta sa poussée sur mon cœur et ma poitrine. Je me remis à pleurer.

Quand les soubresauts cessèrent, je sautai du lit. Dans la salle de bains, je saisis une boîte de Témesta pour définitivement éteindre le jour et passer à demain. J'arrivais de si loin, j'avais besoin de dormir pour m'adapter à mes nouvelles lunettes de vue.

Le lendemain, aux premières lueurs de l'aube, aucune trace de rêve ne subsistait dans les cendres de ma mémoire. La pilule chimique avait anesthésié toute activité nocturne, y compris la pensée. Je regardai par la fenêtre le camion-poubelle qui encombrait bruyamment la rue, ses travailleurs immigrés qui couraient dans les entrées d'immeuble pour chercher les détritus de la veille. Un nouveau jour commençait, il fallait faire le vide pour refaire le plein. Le cycle continuait, avec ses gestes minutieux, répétitifs, rébarbatifs. Je me fis un café que je bus en y trempant des galettes Saint-Michel. Moi aussi j'avais mes gestes du quotidien. C'était le premier jour de ma vie que je vivais sans père. Il faisait froid.
Le jour J moins un père.

Durant toutes les années précédentes, j'en avais eu un et cette propriété privée avait été un quai d'amarre pour moi, une attache où j'étais toujours revenu, en définitive. Depuis mon divorce à l'arraché, j'avais quitté mon appartement pour en laisser l'usufruit à mon ancienne épouse et à mes deux filles, et je ne voulais plus jamais avoir de chez-moi à cause de la hantise des profanateurs. Des amis qui avaient été victimes d'un cambriolage de leur maison m'avaient rapporté le même sentiment d'effroi. Imaginer qu'*on* avait fourragé dans la commode où étaient rangés les sous-vêtements, qu'*on* avait feuilleté les albums de photos, qu'*on* avait touché le pain familial avec des doigts sales, que des inconnus étaient entrés dans la chambre des enfants. *On* savait tout de *nous*.

Manouche en roulotte, sans origine, sans famille, toujours *on the road*, sur le qui-vive, prêt à fuir toute tentative d'immobilisation de la société ou de l'amour, tout risque de profanation ou de souillure, c'est ce que je voulais être à présent, après dix-huit ans de mariage forcé, dix-huit ans de refus d'écouter sa corne de brume. Voilà pourquoi mes parents et l'appartement qu'ils occupaient dans cette cité périphérique avaient constitué mon dernier refuge.

Un nouveau jour commençait. J'étais demi-orphelin. Une nouvelle vie démarrait. Nouvelle paire d'yeux, nouveau regard, nouvelle montre, nouveaux réglages. Nouveau fuseau horaire.

*

Je suis retourné chez ma mère. Il y avait autant de monde que la veille. Mes sœurs, nièces et cousines avaient dû passer la nuit allongées sur les tapis, entassées les unes sur les autres, elles en portaient encore les marques. J'avais de la chance d'avoir dormi plusieurs heures chimiques. Mon frère Farid était déjà sur le pont. Il avait organisé beaucoup de choses, décidé la date du rapatriement du corps vers l'Algérie, réservé une place d'avion, grâce au responsable des Pompes funèbres musulmanes qui s'avérait être un homme aussi rigoureux que doux.

– Tu veux venir au bled pour l'enterrement ?

Farid faisait le tour des candidats au voyage. Je répondis oui, évidemment. Je demandai qu'on réserve également une place pour ma fille aînée, quinze ans. C'était son premier voyage à Ithaque.

*

Quatre jours plus tard, le jour du départ vers l'aéroport de Lyon-Saint-Exupéry. Rendez-vous était pris à la morgue de la clinique du Tonkin pour voir une dernière fois le corps de mon père dans sa boîte en bois, son front d'homme fier qui avait accompli sa mission jusqu'à la fin, debout, refusant de devenir une charge pour ses enfants. Il en avait tant rêvé de son pays, l'avait tant coloré dans ses sommeils, avait planifié tant de retours, aussitôt ajournés, économisé tant de petites sommes d'argent pour acheter un sac de ciment, quelques mètres carrés de carrelage et des ferrailles à béton pour élever sa maison, celle qui allait l'accueillir avec sa famille, un jour, et dans laquelle il allait enfin faire connaissance avec le bonheur. Tant de fois il l'avait vue en rêve, en avait même dessiné les plans avec son crayon de maçon, au tableau de son imagination. Tant de fois.

Cinquante ans étaient passés. La maison avait été bâtie, avec son lot de sueur et d'adrénaline. Bien sûr qu'elle ne correspondait pas à celle crayonnée dans sa tête, mais ses rêves s'adaptaient facilement. Par rapport à tous les vieux du village qui avaient reculé devant la perspective de l'exil, il s'estimait heureux. Il avait un toit, lui. Tant de fois, tant de rêves, pour ça. Il allait y rentrer au bled, mais pas pour habiter dans sa maison. Juste pour retourner à la terre.

Dans le quartier du Tonkin, près de l'ancien café-PMU des Vichy-menthe de Mauricette, je garai ma voiture avenue Gagarine et marchai jusqu'à l'entrée de la morgue. «Morgue». Quel mot atroce! Il avait la même tête que «tumeur». Des hommes et des femmes de la tribu étaient déjà là. C'était un beau jour d'avril pour partir. Un soleil blanc chauffait agréablement la peau. J'embrassai de-ci de-là, à droite et à gauche et, à chaque fois, les larmes partaient au galop.

– C'est là-bas, vint me glisser Farid.

Il montrait la salle où le corps de mon père était déposé en attendant un inspecteur de police qui allait fermer le capot de la boîte, poser les scellés et ainsi enfermer définitivement Abboué dans le noir. Un peu plus tard, le corbillard allait l'emmener à l'aéroport pour le dernier envol.

«Corbillard»! Un autre mot féroce.

J'entrai dans la pièce. Elle était aussi sordide que les chambres d'hôpital par où j'étais passé ces derniers jours, les peintures s'écaillaient sur les murs pisseux, sauf celui du fond où une impressionnante croix catholique, de la taille d'un homme, était fixée. Dès que je la vis, j'appréciai le tact des employés qui avaient en charge ces cérémonies. Mon père avait vécu toute sa vie comme un musulman, il était mort et allait être inhumé comme tel, je n'avais aucun grief à adresser à Jésus-Christ qui nous regardait d'en haut, dans son inconfortable position, mais il me semblait qu'un des deux morts était en trop dans la salle. Par respect des croyances de chacun, on aurait pu prévoir de présenter le corps d'Abboué dans une autre salle, pourquoi pas avec des tapis par terre, des bougies torsadées et colorées comme on en trouve en terre d'Islam. Mais enfin, l'heure n'était pas à la critique futile. De toute façon, les visiteurs faisaient fi de la croix catholique et leurs regards étaient aimantés par le mystère de la mort. Chacun s'inquiétait sans doute de savoir comment serait la sienne, quelle figure elle prendrait, dans quel virage elle surviendrait.

Le cercueil avait été placé au milieu de la pièce, tête-bêche avec Jésus. Le corps était recouvert d'un linceul vert. Seule la tête était découverte. La lèvre inférieure s'était un peu plus rétractée vers la bouche et la peau avait blanchi, signe que la chaleur de la vie s'était éteinte. Dans un coin, l'inspecteur Ali était au rendez-vous, fidèle au poste, l'œil aux aguets. Une femme entra, livide, silencieuse, un voile sur les cheveux, puis, soudain, prise d'une crise d'hystérie, elle s'affala sur le cercueil pour embrasser les joues d'Abboué, mais en une fraction de seconde Oncle Ali fondit sur elle et la repoussa sèchement. Pas de larmes sur le corps du défunt, il se tuait à le répéter. Vivement que cette histoire se termine, il en avait sa dose de ces pleureuses.

Le front de mon père était toujours aussi beau, dressé avec fierté pour affronter de face tous les obstacles qui s'étaient mis en travers des rails de ses enfants. Je me trouvais à quelques centimètres de lui, titillé par la tentation. Sous l'œil vigilant de l'inspecteur Ali, j'avançai doucement ma main vers lui et la posai dessus, sans trembler. La tête était glacée. J'en eus des frissons. Mon Abboué était gelé! En une seconde, le froid se propagea dans mon propre corps. Mon père mourait de nouveau pour la énième fois. Je retirai ma main qui durcissait.

– Tu pleures pas, hein? prévint Oncle Ali.

L'air de dire «Je te fais confiance». Tu déconnes pas.

Je ne lui répondis même pas, j'envoyai juste un regard

de travers de ma spécialité pour lui faire comprendre qu'il s'agissait de mon papa qui était là-dedans, dans ce mobile home rectangulaire, au toit encore ouvert, qui allait rejoindre ses fondations d'origine. Pas le sien.

La salle était maintenant bondée de monde venu pour l'adieu à Abboué, l'homme respecté de tous, qui avait été l'un des premiers à quitter le village de la montagne pour aller louer ses bras dans les usines de France et qui, depuis, avait creusé une tranchée où s'étaient engouffrées des centaines de cousins descendant de la même tribu. C'était le Christophe Colomb, le Magellan, le Vasco de Gama, l'Ibn Battuta du douar. Il avait découvert le nouveau monde. Celui des usines, de leurs chaînes, des cadences, des pointeuses, des contremaîtres, des revenus. Celui du *BiTiPi* et de son taux d'accidents mortels le plus élevé de l'industrie française.

Sa femme lui avait façonné une paire de chaussures dans un pneu Michelin rechapé. Alors, marchant sur les chemins, se dandinant d'avant en arrière, il était parti en éclaireur sans carte et sans instrument. Derrière lui, les autres avaient suivi aisément. Plus tard, les Pénélope y avaient rejoint leurs Ulysse et sur cette terre d'accueil naquirent leurs enfants, petits *Françaouis* aux accents alsacien, marseillais ou parisien. L'Odyssée commençait. *França Terra* devait être une escale, elle fut une destination finale.

Dans la salle, hommes et femmes se serraient les uns contre les autres pour rester le plus longtemps possible près du visage d'Abboué et s'imprégner de ces précieuses dernières minutes, avant l'arrivée du policier vérificateur douanier. Des larmes couraient en douce sur les joues, loin du cercueil. Dans la cohue, une femme poussa un hurlement déchirant en se lacérant la peau du visage avec ses ongles, de quoi faire dégringoler Jésus-Christ de sa croix. Mon regard croisa le sien à cet instant. Le chef des catholiques avait l'air coi au-dessus de ce spectacle surprenant auquel il n'était pas habitué.

La femme effondrée fut évacuée.

Je n'avais plus d'air à respirer dans cette foule com-pacte. C'était toujours le cas quand les smalas des divers douars se réunissaient pour un rendez- vous important. L'individu manquait d'air. D'ailleurs, dans la tribu, le mot « individu » n'existait pas, seule la *communauté* avait un sens, on ne disait pas « je » mais « nous ». *Nous* participait en nombre aux mariages, décès, naissances qui se produisaient dans le groupe. Par exemple, lorsque *Je* recevait un carton d'invitation nominatif à une fête célébrant un mariage, c'est *Nous* qui répondait présent et se pointait dans une Peugeot familiale bourrée à ras bord, déversant ses quatre, cinq, parfois dix personnes[1], posant du coup d'ingérables problèmes logistiques. D'autres cas encore plus écla-tants survenaient : quand *Je*, par exemple, accouchait d'une petite fille à l'hôpital, c'est *Nous* qui, par grappes de six ou huit personnes, allait, les mains pleines de cadeaux, de makroutes, d'énormes bouquets de fleurs, rendre visite trois jours durant à l'heureuse maman, complètement épuisée dans la minuscule chambre mais contrainte de montrer sourire blanc, provoquant la colère de la voisine de chambre qui voudrait bien pou-voir respirer elle aussi si ça ne dérange personne, et celle de l'infirmière qui ne peut pas accéder au lit de la maman pour changer les draps et qui supplie les visi-teurs d'espacer les visites. Hou là là, que n'a-t-elle pas dit, celle-là ! Mais de quoi se mêle-t-elle ? Ça te regarde

1. Trois devant, trois derrière, trois sur les sièges pliants, plus un dans le coffre.

pas si on est nombreux ou pas ! C'est pas toi qui as accouché, non ! Une des visiteuses, genre pétroleuse, retrousse ses manches et se rebiffe fièrement, traite la Blanche de raciste et l'affaire s'envenime.

Nous c'est *Nous*, et toi tais-toi ! *Saloubrix ta race el-khamja !*

Il n'y a pas qu'à l'occasion de mariages et de naissances que le *Nous* se manifeste de manière intempestive, mais aussi lors des arrivées et départs des pèlerins pour le voyage sacré à La Mecque. Sacré voyage, en effet : le *Nous* est tellement nombreux à vouloir accompagner le pèlerin à l'aéroport qu'il bloque systématiquement les autoroutes qui y mènent dans chaque ville de France. Pire qu'une grève des chauffeurs routiers. Une fois passées les formalités de police à l'embarquement, le *Nous* s'excite et bouscule les agents de sécurité parce que maintenant une mouche l'a piqué et il voudrait accompagner le parent pèlerin jusqu'au pied de l'avion, persuadé de recevoir quelques éclats de bénédiction divine de la part du bon Dieu qui dispose maintenant de la vidéosurveillance et filme tout. Avec ses surveillants, IL organise régulièrement une expo *La Terre vue du Ciel* dans ses jardins et choisit deux ou trois pèlerins à récompenser de la médaille de l'OMC, l'Ordre du Mérite Céleste.

Ah oui, sacré voyage ! En milieu autorisé, on affirme que les syndicats de police en France redoutent plus que tout ces fameuses journées de départ-retour à La Mecque. On dit même que beaucoup d'agents prennent spécialement leurs congés RTT durant cette période pour ne pas être réquisitionnés et subir les hordes de *Nous*. Une hausse substantielle des dépressions nerveuses des agents est relevée chaque année à cette occasion.

De nouveau, dans la salle, l'imam vint faire une prière en arabe en s'adressant à la foule des *Nous*. Il broda sur la mort, mais peu de gens saisirent le sens exact de ses propos. Quand il termina son speech, j'allai chercher ma fille aînée pour la rapprocher du visage de son grand-père qu'elle n'aurait, au fond, pas beaucoup connu à cause du divorce qui ne m'autorisait à la voir qu'un week-end sur deux.

Un week-end sur deux et la moitié des vacances scolaires, la première moitié les années paires et la seconde les années impaires. Je pensai qu'Oncle Rammi avait peut-être raison de poser son glaive de justicier sur cette blessure : comment avais-je pu laisser un jugement de divorce d'un tribunal de grande instance décider de mon temps avec mes enfants ? J'aurais dû me battre plus. Mais des années de procédures juridiques avaient eu raison de mon énergie, de mon budget et de ma confiance dans la justice.

– Vas-y, regarde-le. Tu vois comme il a l'air tranquille ? je fais à ma fille.

Je lui serre la main pour l'encourager. Je sens sa fébrilité, mais elle ne pleure pas. Elle tient bon. Elle ne pourra plus jamais entendre de sa bouche les mots arabes qu'elle lui demandait de prononcer. *Icoule, formage, sauvage central.*

Soudain, la silhouette de Farid se présente dans l'encadrement de la porte.

– Attention, attention, maintenant il faut sortir, l'inspecteur est arrivé. S'il vous plaît.

Quelques *Je* bien intégrés s'exécutent sur-le-champ, mais c'est une autre paire de manches pour la foule des *Nous* qui voudraient bien assister au contrôle de la police, histoire de voir comment ça se passe, quoi, tu vois ce que je veux dire, c'est pas que je sois curieux, mais c'est ma première expérience…

– Allez, dehors, s'il vous plaît, insiste Farid.

Il est tranchant comme je ne le connaissais pas. La mort l'a précipité dans l'obligation de rigueur.

Habillé strictement dans un costume gris, l'homme entre, habitué des lieux, les traits du visage impassibles, il n'a pas un seul regard pour Jésus, j'en conclus qu'il est agnostique, et sans détour examine, palpe vaguement le cercueil, échange deux mots avec le jeune technicien des Pompes funèbres musulmanes. L'affaire est close. Tout est en ordre. Alors, le jeune homme referme le toit de la maison horizontale de mon papa. On le visse. Les scellés sont posés par l'inspecteur. On ne voit maintenant que le seul visage d'Abboué par le hublot. À la fermeture de la porte, des cris de femmes percent le silence. Cette fois, le verdict est irréversible, sans appel. L'inspecteur tourne les talons et s'éloigne, tel un tube de glace, sans même un « au revoir m'sieurs-dames ». Il ne doit pas beaucoup aimer son travail, ça se sent, même Jésus-Christ a l'air choqué par son manque de sociabilité.

Dès que l'inspecteur est monté dans sa voiture, les *Nous* se ruent de nouveau autour du mobile home pour apercevoir mon père à travers le hublot.

– Allez, allez, maintenant tout le monde sort, s'il vous plaît.

Farid essaie de faire régner un ordre dans la tribu pour accélérer les choses.

– On va sortir le cercueil, s'il vous plaît ! il scande.

Rien. *Nous* reste où il est.

Inspecteur Ali prend son quart en maugréant dans sa moustache. C'est lui qui fait le ménage en repoussant des deux bras la horde vers la porte de secours.

Nous sort, moi je reste. Je veux porter le mobile home de mon père qui, à présent, est joliment recouvert d'un linceul vert islam. Deux frères se postent à mes côtés. Plus trois autres hommes. Un religieux récite sans arrêt des prières pendant que nous soulevons le cercueil. Un, deux, ma tête tourne, je vois des étoiles poussiéreuses passer en trombe devant mes cils, trois, allez, hissez ! Ça y est, mon père est au-dessus de mes épaules, léger. Des pleurs féminins fauchent le silence. Soudain, qu'est-ce que je vois derrière le corbillard ? L'amante de Marwan qui attend le passage du cercueil. Elle est là. Mon cœur se rétracte. Elle a osé venir, alors qu'il y a si longtemps que je ne la vois qu'à l'occasion des passages devant le juge, quand elle réclame davantage d'argent, histoire de me pourrir la vie. Je serre les dents.

Attention, baissez. Encore un peu. Il faut caser le mobile home dans le véhicule mortuaire. Les porteurs plient les genoux en même temps pour ne pas déséquilibrer Abboué, dont la figure est à jamais orientée côté ciel.

La foule qui a encerclé l'affreux véhicule gris-noir recule d'un pas, pour laisser le chauffeur refermer les deux portes arrière. Lui aussi a une tête gris-noir. Il me regarde, me salue. *Nous* s'écarte. Le véhicule fait marche arrière, guidé par l'inspecteur Ali qui tient à conduire les opérations jusqu'à leur fin, car l'année prochaine il doit aller faire son pèlerinage à La Mecque, il deviendra *hadj*, il a déjà passé le code de bonne conduite avec succès.

Le mobile home de mon père s'en va dans le corbillard. Tout le monde roule dans le brouillard. C'est fini. Les mots ne servent plus à rien, il faut rentrer maintenant, s'en retourner sans se retourner. Mes yeux s'emmêlent les pédales entre, d'un côté, ma fille Louisa qui me fait signe de sa petite main en suivant sa mère vers sa voiture et, de l'autre, le corbillard qui monte au ciel. Ce sont mes deux phares qui s'éteignent et me laissent. *Je* est dans la merde, seul à seul.

À pas de loup, les *Nous* se dispersent, chacun sur ses rails, tête basse, soucieux de savoir qui sera le prochain à rendre l'âme que la vie lui a prêtée. Au milieu d'eux, au ralenti, mes pas m'emmènent vers l'avenue Gagarine où m'attend ma Twingo. La terre tourne sous mes pieds. Où vais-je aller me terrer, à mon tour, ma fille partie à droite, mon père à gauche, moi au milieu, au pied de la falaise lézardée ?

Je marche sur un tapis volant et le corbillard passe devant moi, le chauffeur ouvre sa vitre à ma hauteur et me demande si c'est bien moi qui écris des livres. Ah oui ? Il se disait bien qu'il m'avait vu à la télévision ! *Oualla*, il est fier de moi. Peut-il me tutoyer ? Bien sûr. Il est heureux et surpris de me rencontrer là. Il dit que je connais son frère Djamel qui est chauffeur de taxi. Le monde est un si petit douar.

– Tu connaissais la personne qui est morte ?

– C'était le héros de mes livres.

– Quoi ? J'ai pas bien entendu.

Dommage, il a pas bien ouï. Je tourne vite la tête en sens inverse pour ne pas inonder le sol en public.

– Qu'Allah l'accueille en son Paradis, il conclut en poursuivant son allure au ralenti.

Mon père le suit de l'intérieur. Seul dans sa boîte.

Seul aussi dans ma voiture, je laissai de nouveau s'exprimer mon chagrin sans mettre les mains. Ma bouche appelait mon père. Quels livres allais-je pouvoir écrire maintenant ?

Le corbillard obliqua à l'angle de l'avenue, avant de disparaître définitivement dans le passé. Je pensai à ma mère. Elle n'était pas venue à la morgue et elle n'avait pas revu son mari depuis son évacuation par les pompiers. Elle n'allait jamais plus l'entendre de son vivant. Elle voulait conserver son image à 37,2 degrés Celsius au fond de son cœur.

Elle ne tint pas non plus à faire le voyage en Algérie. Je partis donc avec ma fille, deux de mes sœurs, Kader et Farid. Je n'étais pas retourné à Sétif depuis vingt-cinq ans.

*

Contrairement aux autres membres de ma famille qui avaient toujours gardé leur passeport algérien par illusion patriotique, j'étais porteur d'un passeport de nationalité française, comme ma fille, et devais me rendre au consulat pour me faire établir un visa d'entrée en Algérie. Un visa touristique pour retourner dans mon pays ! C'était un comble. Je n'y avais pas remis les pieds depuis une génération, à cause du harcèlement militaire dont les jeunes gens d'origine immigrée comme moi étaient victimes de la part des autorités algériennes. À l'époque, j'étais en plein cycle d'études universitaires et ne pouvais m'offrir le luxe de m'absenter deux longues années pour effectuer un service militaire dans une caserne au fin fond du Sahara, à Tindouf ou à Tamanrasset, à apprendre le maniement de la kalachnikov, le pilotage du Mig 21 soviétique, tout en dormant la nuit d'un seul œil pour surveiller les scorpions sahariens amateurs de chair fraîche immigrée.

Pendant plusieurs années, j'avais pu accompagner mes parents dans la traditionnelle transhumance estivale vers Sétif, avec l'assurance de pouvoir ressortir du pays grâce à un sursis militaire que je renouvelais chaque année au consulat. Mais plus je passais de caps dans mon cycle universitaire, plus il devenait ridicule de sacrifier deux années à jouer au Bédouin armé dans des casemates de sable brûlant.

La dernière fois que j'avais fait le voyage, à la fin des années soixante-dix, en quittant l'aéroport d'Alger pour rentrer à Lyon, j'avais failli y rester. Le policier au guichet avait fait le tour de ma personne en un regard circulaire, évalué mon jeune âge et posé la fatale question des « papiers militaires », sans merci ni rien, comme ça, brutalement, de quoi faire trembler la jeunesse masculine juste à son énoncé. J'avais naturellement anticipé la demande et sorti ma carte sursitaire qu'il avait auscultée à la loupe, avant de s'enquérir de mon âge. J'avais déjà cinq renouvellements de sursis d'étudiant. Au consulat, on m'avait assuré que je pouvais encore échapper un an à l'obligation nationale, pas plus. J'étais donc confiant, mais en vérité seulement à moitié. Et même au tiers, en apercevant les moustaches en biseau du policier, tombant à pic sur son menton qu'il avait glissé dans l'ouverture du guichet. Tout en lui était acéré, saillant, y compris sa façon d'asséner les demandes.

– Je ne peux pas te laisser passer, tu avais droit à quatre années de suite, pas plus. Tu restes là.

Et son menton était revenu dans sa position initiale.

Aussitôt, sans même attendre de confirmation, ma mère s'était mise à pleurer sa généalogie, ses saints, son sort. Mon père, aussi paniqué qu'elle, avait tenté de faire bonne figure en négociant avec l'empêcheur de rentrer chez nous, mais le policier n'en avait que faire des paysans immigrés qui étaient partis faire fortune en France et qui se payaient le luxe de vacances sous le soleil algérien, saleté de boule de feu qui en ce mois d'août incendiaire le faisait tant transpirer sous sa casquette. Mon père lui avait demandé avec une série de clins d'œil d'intensité croissante comment on pouvait s'arranger, son fils était en plein élan intellectuel à l'université, il

allait devenir «quelqu'un» un jour, *inch' Allah! Inch'*
Allah! avait répété machinalement le policier derrière
son guichet. Mon père avait contré la tentative de désta-
bilisation en s'agrippant à son raisonnement.

– ... et il servira son pays encore mieux. Tu vois ce
que je veux dire?...

– *Inch' Allah!*

– ... parce que tu crois que nous avons l'intention de
rester en France, ce pays de racistes qui nous détestent?
Non, notre but final c'est l'Algérie, notre pays...

– *Inch' Allah!*

– ...: notre sang...

– *Inch' Allah!*

– ... alors, tu vois, mon frère...

Le pauvre me faisait pitié. Il était dans les mailles du
filet.

Ma mère avait levé la tête, surprise par les qualités de
tribun que son mari laissait s'épanouir pour la première
fois. La terreur que lui inspirait l'idée que son fils allait
être pris en otage par cette armée formée à la russe
l'avait transformé en magicien de la parole.

Hélas pour la poésie, le policier était resté muré dans
sa cage de verre, laissant mon père s'épuiser, puis,
quand il eut rendu le dernier mot, il avait tout simplement remis en marche son magnétophone. Lui, il ne
pouvait rien faire, la loi était la même pour tous, il fallait que j'aille au commandement général à Alger pour
une dérogation. Ma mère n'en pouvait plus, elle
s'épanchait dans son mouchoir.

Devant le robot en uniforme, la hardiesse de mon père
en avait pris un coup derrière la nuque. Il avait bégayé
un «mais» poussif. Le policier l'avait finalement bloqué d'un geste brutal de la main, digne d'un colon porteur de fouet:

– Maintenant, ça suffit! Il n'y a pas de «mais» possible. Allez, laisse la place. Il y a des gens derrière toi.

Mon père s'était retourné, dépité, vers la famille suivante, cherchant dans le regard de son chef un soutien quelconque, une reconnaissance de la misère qu'on lui faisait subir, mais l'homme était demeuré de marbre, déjà angoissé par les soucis que sa smala allait lui causer lors de leur propre passage devant la police. Il n'en voulait pas davantage.

Alors, ma mère s'était avancée vers la cage de verre pour s'adresser au cœur du policier, comme à son fils, expliquant entre deux sanglots que la vie était déjà dure pour nous en France, que l'Algérie était le seul oxygène qui nous restait, et que le pire était qu'il n'y avait plus de places dans les avions pour la France avant le mois de septembre. Nous allions rater la rentrée des classes. Se rendait-il compte des conséquences de sa décision ?

– Vous pouvez retourner en France, vous, si vous voulez...

– Ah, merci de tout mon cœur, fils ! Allez, les enfants, avancez, il a dit oui.

Ma mère revivait. Elle avait déjà repris en main ses valises, prête à embarquer. Hélas, le policier n'avait pas terminé sa phrase. Il m'avait désigné du menton.

– ... mais lui, il reste là.

Lui, c'était ce jeune homme plein de muscles et de promesses dont la nation avait tant besoin, les futurs cadres de demain que deux ans de formation à la méthode kremlinoise allaient vite transformer en fidèles soldats prêts à se sacrifier pour un croissant de lune et un drapeau vert en cas de conflit armé contre le reste du monde.

Ma mère était tombée dans les courgettes pour la énième fois de sa vie, et mon père, dans un geste de résignation, avait posé ses valises à terre, déclarant

qu'il allait rester avec moi, pendant que les autres ren-
treraient à Lyon.

– Mais non, Abboué, je vais me débrouiller seul. Tu
peux rentrer, tu vas pas rater ton travail pour une petite
affaire comme ça, non ?

J'essayais de faire bonne figure, alors que tout en moi
était sur le point de lâcher.

Ma mère m'avait enveloppé dans ses bras.

– Non ! Tu restes pas là tout seul ! Jamais.

Elle s'était tournée vers le bloc de marbre aux moustaches saillantes qui avait avalé un magnétophone et le
suppliait une ultime fois de revenir sur sa décision, un
soldat de plus ou de moins à la caserne, qui allait voir
la différence ? Qu'on regarde son fils, c'était encore un
enfant ! Le type avait fermé ses écoutilles. Parle à mon
cul, ma tête est malade.

Les trompettes de la mort s'étaient avancées au-devant
de l'orchestre. Soudain, derrière elles s'était interposé
un flûtiste. Habillé en policier, celui qui devait rempla-
cer le glacial dans sa cage vitrée. Ils échangèrent des
paroles pendant deux minutes, le nouveau avait lancé un
regard vers moi avant de sortir et de se présenter à mon
père. Il avait un beau visage, humain, chaleureux, et de
surprenants yeux verts qui laissaient filtrer une lumière
d'espoir. Comme moi, mes parents l'avaient tout de
suite senti. Il avait demandé à voir ma carte de sursis,
constaté qu'elle était en effet périmée – la loi avait été
modifiée cette année –, froncé les sourcils pour montrer
combien la situation était grave. Rien n'était plus sérieux
que l'armée en Algérie.

La situation était grave mais pas désespérée.

– De quelle région êtes-vous ? il avait demandé à
mon père.

– Sétif.

Un sourire.

– Alors, nous sommes du même pays, je l'avais deviné.

Il avait expliqué qu'il venait d'un village à une cinquantaine de kilomètres du lieu de naissance de mes
parents et qu'il était, pouvait-on dire, presque de la
tribu. La terre tournait maintenant dans l'autre sens,
celui qui allait faire revenir les vents favorables. Il avait
pris ma carte en main, était retourné dans la cage de
l'autre méchant, on avait entendu deux coups secs, un
tampon qui s'abattait sur une carte militaire, et il était
revenu vers nous pour me tendre le document libé-
rateur.

– Allez, bonne route. Rentrez bien.

D'un geste inattendu, ma mère lui avait saisi la main
de force et l'avait embrassée plusieurs fois, débordée
par la joie. Il l'avait retirée en vitesse, ses supérieurs
auraient pu y voir une corruption sous le burnous et
exiger le versement de leur quote-part.

Justement, mon père avait discrètement plié en dix un
billet de banque qu'il s'apprêtait à lui glisser dans la
paume, mais l'homme au regard émeraude avait reculé
d'un pas.

– Non, surtout pas ça. Je ne fais pas ça pour ça.
Rentre ton argent. Nous sommes de la même région,
c'est tout, il n'y a rien d'autre derrière mes mots.

Mon père avait semblé gêné de son geste. C'était
peut-être la première fois qu'il constatait que la formule d'encouragement ne marchait pas à tous les
coups. Il avait rentré sa main dans sa poche, frustré de
ne pouvoir faire quelque chose pour exprimer son bonheur. C'était Allah qui avait spécialement missionné cet
ange pour venir à notre rescousse sur notre chemin.
Avec quelle offrande pouvait-il partager sa joie ?

– L'année prochaine, si vous repassez par l'aéroport,
demandez-moi.

Le policier avait donné son nom.

C'est tout.

Mon père avait pleuré de joie, je l'avais surpris. Il fallait pourtant avoir l'œil acéré pour apercevoir des comètes de Haley comme celle-là qui passaient par ses joues seulement la semaine des quatre jeudis.

Depuis cet épisode et cette rencontre, je n'étais plus jamais retourné en Algérie. Doux-amer, tel était le goût que j'en avais gardé.

*

Dans la salle d'attente du consulat, où la secrétaire générale m'avait gentiment invité à patienter, le consul vint me voir en personne pour me présenter ses condoléances. C'était un petit bonhomme, à l'allure joviale, engoncé dans un costume diplomatique sombre. Il me donna une accolade fraternelle, me suggérant de laisser mon passeport à ses services, on allait s'en occuper dans les plus brefs délais. L'accueil m'honora. Il me proposa d'entrer dans son bureau et commanda un café par téléphone. Je n'avais pas le cœur à la conversation, mais je fis des efforts pour parler de littérature, d'histoires d'intégration de *nos* jeunes, de leur désintégration également, de la philosophie de la vie et de la mort. Il me conseilla de mettre à jour mes papiers d'immatriculation consulaire, histoire de disposer d'un passeport algérien, on ne savait jamais, une occasion pouvait un beau matin frapper à ma porte. Je lui confiai sincèrement que j'avais quelque appréhension à me rendre dans ce pays, qui était le mien certes, mais que le terrorisme avait sérieusement défiguré. J'avais toujours en mémoire la voix de Christine Ockrent annonçant un matin à la radio l'assassinat à Alger de l'écrivain Tahar Djaout devant sa porte, alors qu'il accompagnait ses deux filles à l'école, et j'en avais été bouleversé. Peu de temps auparavant, j'avais participé à ses côtés à une rencontre littéraire à

141

Saint-Denis dans la banlieue parisienne, et j'avais trouvé cet homme plein de charme et de douceur. Assassiné !

À deux mille kilomètres de l'épicentre du drame, j'avais ressenti les balles percer son cœur, puis celui de ses filles dont il tenait la main. Elles avaient également perforé une partie du mien.

Le consul fit une moue résignée, finit sa tasse de café, le téléphone sonna, il se leva tout en continuant de parler, m'assura que l'Algérie était un pays sûr. Il suspectait les médias qui se délectaient de ses drames et jamais de son inéluctable marche vers le progrès, le développement et la démocratisation politique. On allait me porter aux nues, là-bas, chez moi. Les gens me reconnaîtraient dans la rue.

C'est justement cela que je redoutais, qu'un tueur embusqué me prenne pour cible. Le téléphone en main, le consul eut un rictus nerveux. Ah, il reconnaissait bien là l'imagination de l'écrivain. Il m'offrit sa main pour prendre congé de ma personne et se laissa absorber dans le combiné du téléphone.

Dans le couloir, quelques minutes plus tard, un employé vint me rapporter mon passeport, ainsi que celui de ma fille, tous deux dotés d'un visa de courtoisie. J'allais pouvoir me rendre dans la maison de mon père à Sétif sans avoir fait la queue ni payé de taxe touristique, et j'en étais satisfait car le voyage qui m'attendait n'avait rien d'un loisir.

À l'aéroport, dans la zone d'embarquement, un jeune homme d'une trentaine d'années vint chaleureusement me saluer pour exprimer sa joie de me rencontrer. En fait, c'était la deuxième fois, m'apprit-il, car une quinzaine d'années auparavant, j'étais venu animer une rencontre avec des élèves de son collège. Il n'avait jamais oublié.

Il avait lui aussi un passeport français, mais sans visa. Allait-il pouvoir franchir la frontière sans problèmes ? Il me posait la question comme si j'étais un expert des retours au bled. Je ne pouvais hélas lui être d'aucun secours. Il me demanda néanmoins un autographe pour sa petite fille qui n'avait pas encore l'âge de lire, mais qui un jour comprendrait comme lui l'importance de la lecture pour muscler le cerveau.

Béjaïa ! Béjaïa ! L'hôtesse annonça le début de l'embarquement. L'idée me prit d'aller acheter un remontant au magasin détaxé. La semaine que j'allais passer au pays n'allait pas manquer de piment et il fallait du liquide résistant aux accès de nervosité. J'achetai une bouteille de whisky Bowmore, la marque écossaise préférée du meilleur écrivain marocain de Crest dans la Drôme.

De l'aéroport Saint-Exupéry, le 737 rouge et blanc d'Air Algérie décolla sans difficulté. Depuis les vols de nuit du célèbre navigateur lyonnais, la technologie des Boeing n'avait cessé de progresser et il n'y avait aucune raison que les choses se passent mal, malgré le réflexe sociologique qui nous poussait à faire en sorte qu'il n'y ait aucune raison qu'elles se passent bien.

Une fois atteinte la vitesse de croisière, l'hôtesse déambula dans l'allée étroite pour proposer des journaux, *El-Moudjahid*, *El-Watan*. J'ai demandé *Le Monde*.
– Non, ici on est en Algérie, dit-elle sans plaisanter.
Je pris *El-Watan*. Le premier article sur lequel je tombai relatait une attaque terroriste de vrais-faux gendarmes contre de vrais-vrais soldats et faisait état d'une réelle-réelle cinquantaine de morts parmi ces derniers. Je refermai brusquement le journal.

La durée de vol étant seulement d'une heure et demie, on nous servit rapidement une collation. Aussitôt finie, des odeurs incommodantes commencèrent à envahir la cabine. Je mis en route mes capteurs : fumée de cigarette ! Je virevoltai, rouge de colère, agressé par ces pollutions hybrides en provenance de différents tabacs, rejetées dans l'atmosphère par des poumons malades et contagieux. Tous les travailleurs immigrés, anxieux de retrouver femme et enfants au village, tiraient sur leurs cigarettes sans relâche. J'essayai d'en dévisager quelques-uns pour leur montrer mon courroux, en vain. Un homme me regarda d'une manière neutre. Je hélai le steward d'un signe franc du bras. Il accourut sans se presser.

– S'il vous plaît, vous ne pouvez pas prier ces messieurs d'éteindre leurs cigarettes, nous sommes dans une zone non-fumeurs, si je ne m'abuse ?

– Oui, c'est exact, rétorqua-t-il d'un air absent. Mais tu sais ce que c'est, chez *Nous*, personne ne respecte rien. Ils ne savent même pas lire, comment veux-tu leur dire des choses !

Il m'invita à fumer, moi aussi, pour ne pas être en porte-à-faux.

Ma fille n'en pouvait plus, elle suffoquait. Je jurais déjà de ne plus jamais remettre les pieds dans un avion de cette compagnie aérienne. Dans presque tous les pays du monde, on avait interdit la cigarette à bord, et chez nous, pour prouver qu'on avait *sa* personnalité, on se plaisait à faire le contraire. Qu'à cela ne tienne, j'allais changer de place avec ma fille. Juste à ce moment-là, à l'approche des côtes algériennes, le pilote annonça d'une voix tremblotante que nous allions traverser une zone de forte turbulence et recommanda d'attacher très fermement les ceintures de sécurité. Je me harnachai jusqu'au dernier cran, pressant ma fille de m'imiter. Au lieu d'éteindre leurs cigarettes, les fumeurs en allumèrent d'autres, deux par deux, pour exorciser leur peur. À travers le hublot, je vis le ciel se charger de nuages noirs qui se gonflèrent démesurément avant d'éclater dans une violence inouïe. On aurait dit un tir de barrage de DCA. Les missiles passaient de part et d'autre de l'avion sans l'atteindre, la carlingue chavirait de tous côtés, latéralement et horizontalement, les hôtesses s'étaient rapidement sanglées, les fumeurs aspiraient encore plus fort dans leur cylindre. Je saisis la main de ma fille. Non, nous n'allions quand même pas mourir bêtement comme ça, dans un avion rouge et blanc, à l'approche de la ville de Bougie-Béjaïa qu'on apercevait déjà, tapie entre les montagnes aiguisées de Kabylie. Le bon Dieu n'allait pas me faire le coup de Buddy Holly quand même ? Pas à moi ?

L'heure était à l'émoi, mais pas à la catastrophe aérienne. Pourtant je vis les ailes de l'avion battre tout à coup comme si elles se prenaient pour celles d'un goéland. Nous étions proches d'un seuil critique, très proches, et le doute commença à enfoncer ses crochets dans mon cœur. Le pilote annonça que nous affrontions des vents de face soufflant à deux cents kilomètres-heure et qu'il allait tenter de descendre pour trouver un autre couloir.

L'avion descendit. Presque à fleur de mer. L'eau de la Méditerranée paraissait si proche qu'on pouvait apercevoir les pêcheurs sur leur chalutier, en bas, à la pause casse-croûte, et même ce qu'ils avaient dans leur demi-baguette, thon-tomatiche et omelette-batata.

Ma fille me lançait un regard crispé pour savoir si l'heure était aux adieux ou si on pouvait encore différer un peu les larmes, lorsque le pilote reprit la parole.

– Mesdames et messieurs, des conditions météorologiques exceptionnelles ne vont pas faciliter l'atterrissage à l'aéroport de Béjaïa et nous sommes dans l'impossibilité de nous poser dans un autre aéroport à cause d'un manque de carburant dû à une fuite dans les réservoirs. Nous vous demandons de serrer d'un cran supplémentaire vos ceintures et de fumer un peu plus si vous êtes fumeurs… d'ailleurs si quelqu'un pouvait m'apporter une clope, ça m'arrangerait bien… et si un passager avait aussi par miracle une bouteille de whisky, Bowmore de préférence, il serait le bienvenu dans le cockpit…

Je regardai ma fille.

Bowmore ? Mais comment est-ce… ?

– C'est Bougie, dit-elle.

Elle avait le visage serein.

De la lumière.

Je posai ma main sur mon visage. Il y avait encore des traces chaudes de cauchemars. J'essuyai mon front, je m'en tirais à bon compte. Pendant plusieurs minutes, je m'étais retrouvé sur l'autoroute du Paradis, dans les traces de mon père, vêtu de blanc, et j'étais en train de faire escale sur une aire de nuages où il s'était lui-même arrêté il y a quelques jours.

Le Boeing se posa sur l'unique piste de l'aéroport de Béjaïa. Bien sûr, le vent avait joué à nous faire peur en bousculant la carlingue, le pilote avait posé l'avion sur une roue, mais il l'avait rapidement stabilisé en bout de piste.

Nous étions en Algérie. Je souhaitai à ma fille bienvenue dans son autre pays. Elle était comblée.

La température était estivale pour un mois d'avril. L'herbe était verte comme je ne l'avais jamais vue ici, moi qui n'étais venu qu'en été, lorsque la chaleur caniculaire la teignait en jaune cramé.

Au passage des formalités douanières, j'eus une première appréhension en montrant mon passeport français, dont presque toutes les pages étaient tamponnées des couleurs des nombreux pays que j'avais traversés. Dont les États-Unis de George W. Un doute effleura mon esprit. J'avais maintenant les deux pieds en territoire algérien, j'étais à la merci de n'importe quel agent de renseignement zélé, et en cas de difficultés j'aurais beau appeler à l'aide de Gaulle ou un descendant de Vercingétorix, personne ne viendrait à mon secours. Les portes du monde libre s'étaient verrouillées dans mon dos comme une fermeture Éclair à usage unique.

Je présentai mon passeport français en même temps que celui de ma fille à un policier qui avait l'âge de la retraite et un air enjoué. Apparemment, il venait juste de terminer une blague avec son collègue qui l'avait bien fait rire. Il inspecta mon document et me demanda simplement quel était le motif de mon voyage. Quand je dis que je venais enterrer mon père, il s'excusa de m'avoir posé cette stupide question.

Un peu plus tard, j'ouvrais grand la porte de l'enceinte principale de l'aéroport de Béjaïa devant laquelle une nuée de chauffeurs de taxi attendaient nerveusement le client immigré de France, cousu d'or et brodé d'euros.

L'Algérie entra dans tous mes yeux.

Je serrai la main de ma fille pour lui souhaiter de nouveau la bienvenue au pays de nos racines, de notre source. J'aurais aimé qu'Abboué puisse contempler avec nous ce paisible paysage, plutôt que de faire ce dernier voyage dans une boîte avec un hublot, dans la soute d'un avion, au milieu des bagages et du fret. Mais Dieu en avait décidé autrement. Ma fille n'aura jamais vu son pays avec lui.

Mon regard se tendit naturellement vers le ciel. Au loin, repoussant les nuages, les montagnes de Kabylie semblaient nous observer. Je les devinais former des nuages de fumée pour informer leurs cousines de Kherrata de notre prochain passage dans leurs gorges escarpées.

*

Dans le taxi jaune et noir du chauffeur qui nous emmenait à Sétif, nous longions la côte sur la route du cap Aokas et de Tichi, des plages où je venais souvent avec des amis du quartier de la gare à Sétif. La mer était brouillonne et en colère, captive des gifles du vent, et elle était encore plus belle que dans mes souvenirs adolescents. Ma fille et moi la contemplions en silence. Au milieu de la baie, un navire de marchandises attendait son heure. C'était la première fois que je découvrais l'Algérie du printemps. Tout le monde s'accordait à reconnaître que c'était la meilleure saison.

Sur la route, à deux reprises, nous dûmes franchir des barrages de gendarmes. Des herses barraient la route et les hommes de la sécurité ne semblaient pas du tout stressés par ce type de contrôle inutile. À l'évidence, ils ne pêchaient pas au gros sur cette route secondaire, et si des terroristes étaient en train de préparer un mouvement de troupe, ce n'était pas la nationale qu'ils emprunteraient, mais plutôt les sentiers sur les montagnes qui surplombaient la mer.

Au passage de notre voiture, un jeune gendarme, kalachnikov braquée à quarante-cinq degrés sur la hanche, se pencha à peine vers nous et fit signe au chauffeur de passer, tandis que ses collègues discutaient tranquillement avec un civil resté sur sa mobylette, en fumant. Le printemps glissait lentement. Les premières images que je glanais de l'Algérie déchirée étaient plutôt rassurantes, et pourtant le terrorisme y faisait des victimes chaque jour, d'après les informations.

C'est en abordant la montée vers les hauts plateaux où se nichait la ville de Sétif que les frissons commencèrent vraiment à picorer ma peau. Le tableau était impressionniste. De hautes herbes fleuries pliaient en dansant sous les caresses de la brise printanière, éclaboussant d'un vert ombré un ciel bas, gris et bleu. Je devinai que ces couleurs éblouissantes étaient celles que des milliers de pieds-noirs avaient emportées dans leur cœur lorsqu'ils durent quitter cette terre lors de l'indépendance. Là étaient enterrés leurs ancêtres. Ironie du sort, des milliers de personnes rapatriées aujourd'hui en France ne venaient plus honorer les tombes de leurs proches à cause de la distance, et moi j'allais maintenant avoir le même souci avec mon père. Je résidais en France et lui ici. La tristesse m'envahit encore.
– Comme c'est beau ! s'esclaffa ma fille, le nez collé à la vitre de la voiture.

La puissante beauté de la nature s'imposait dans son apparat de silence.

Le taxi escalada une colline et l'on avait à présent un autre point de vue sur des champs de coquelicots qui ajoutaient leurs touches de rouge à l'aquarelle dans laquelle la voiture se frayait son chemin. Au milieu de la côte déserte qui serpentait vers le plateau, nous doublâmes un camion de marchandises surchargé qui souffrait le martyre, le pot d'échappement expulsant de noirs crachats.

Il se mit à pleuvoir. Un peu. Le chauffeur s'excusa de ne pas avoir d'essuie-glace, il avait prévu d'emmener son véhicule chez le garagiste le lendemain, mais ce n'était que de la pluie, après tout, n'est-ce pas, on n'allait pas se plaindre, quand les coquelicots, les paysans et tout le peuple s'en réjouissaient déjà. Cette année avait été riche en eau et compensait les rudes sécheresses qu'on avait connues auparavant.

Mais la pluie continua de tomber, brouillant totalement d'abord l'optimisme et ensuite la vue du chauffeur. Il entreprit de conduire la tête dehors, dans la posture dite de la girafe, puis se vit contraint de renoncer devant la taille des gouttes qui martelaient son crâne. Il arrêta finalement son véhicule sur le bas-côté et descendit pour faire l'essuie-glace à la main.

Ma fille s'en amusait. Dans le lointain, des enfants au milieu d'un troupeau de moutons s'étaient fabriqués un toit de fortune avec un bout de carton posé sur leur tête. Il y avait une petite fille dont la robe orange vif illuminait l'horizon de la colline. Je dis à ma fille de regarder comme elle était belle.

– Qu'est-ce qu'elle fait là ? elle demanda. Elle n'a pas école ?

Je n'en savais rien. Elle gardait les moutons, en tout cas, comme mon père à son âge, sur ces mêmes collines, et probablement qu'elle n'irait pas à l'*icoule*, comme lui, qu'elle resterait analphabète, comme lui. Les conditions de vie n'avaient pas beaucoup changé pour les paysans d'ici. Surtout pour les paysannes.

En remontant dans son véhicule, le chauffeur trempé balbutia pour conclure que c'était ça, le bled, tout du *bricoulage*, il fallait faire avec les moyens du bord, c'est-à-dire rouler sans réfléchir, parce que le bord n'avait pas beaucoup de moyens, lui non plus.

Bientôt, nous étions à douze kilomètres de Sétif, un panneau indicateur nous souhaita la bienvenue à El-Ouricia ! Tremblant d'émotion, excité, je présentai à ma fille le village de naissance de mon père. Ce nom était emblématique dans mon enfance, El-Ouricia. Il voulait dire que mon père n'avait pas été élevé sous serre pour devenir un jour ouvrier du ciment, expert en taloche, comme les Romains de Jules César avaient formé des gladiateurs pour s'en amuser dans les stades. Mon père était beaucoup plus que cela, né quelque part, dans un lieu, comme tout le monde. Il pouvait s'exhiber avec fierté : moi je suis d'ici, d'El-Ouricia. Je ne suis pas de nulle part. Je suis né dans une histoire, avec des gens. Je ne suis pas une unité de main-d'œuvre. Je suis un homme. Et moi j'étais rassuré d'être un fils d'homme. Ça me donnait plus de chances d'en devenir un, un jour.

Ma mère, la pauvre, ne pouvait même pas dire ça, puisque ses traces avaient disparu des archives du village où elle croyait être née, pas très loin d'ici, à Aït Hanoucha.

J'ai demandé au chauffeur de rouler plus doucement, je voulais laisser mon regard flâner dans le village de mes gènes.

Il y a vingt ans, j'y avais accompagné mon père venu rendre visite à ses vieux amis, avec qui il partageait des souvenirs, comme celui de mai 1945 lorsque l'armée française avait tiré sur tous les Arabes du coin et que mon père et ses copains s'étaient planqués dans les champs de blé. Des soldats les avaient vus et s'étaient mis à tirer des rafales dans les blés pour les débusquer. Un seul de leurs copains n'était pas ressorti du champ, une fois que les coups de feu avaient cessé. Quand ils retournèrent plus tard le chercher, il n'avait heureusement pas bougé de place et ils le localisèrent facilement. Sauf qu'il ne bougeait plus du tout. Il avait deux trous dans la tête, des bestioles s'en servaient déjà comme terrain de jeu et comme garde-manger. Anecdote du 8 mai 1945. Mon père n'avait jamais oublié ce jour. La colonisation française n'était pas du tout contente de l'état de la civilisation dans cette région du bled et les soldats avaient pour mission de gronder un peu tous les musulmans, histoire de leur donner le goût de la hiérarchie.

– Qui c'est le chef, ici ?

– *C'i toua, missiou.*

– Bien *Moramed*, repos.

C'est l'une des rares histoires que j'avais pu extorquer à mon papa de son vivant. Sur le reste, motus et bouche cousue.

Dans les gorges de Kherrata que nous laissions derrière nous, sur les flancs d'une haute montagne escarpée on pouvait lire : Légion étrangère, 1945. L'Algérie française était tatouée partout dans cette région, dans les champs de blé, sur la pierre, dans les mémoires.

À El-Ouricia aussi. Dans une immense ferme appartenant à un riche colon, mes parents avaient passé une bonne partie de leur vie comme gladiateurs à tout faire et à toute heure. Nous y étions retournés plusieurs fois en pèlerinage avec eux. À chaque fois, ils se rappelaient exactement la configuration des lieux, juste au toucher, la chambre du colon, la cuisine où ma mère travaillait, l'arbre où elle pendait la *chekoua*, peau de chèvre cousue pleine de lait de brebis ou de vache dont elle tirait le beurre en la secouant régulièrement, l'écurie où les chevaux étaient bien mieux traités qu'eux, le salon où elle servait madame. Le puits d'eau, trésor de la terre. On pénétrait dans le domaine par un long chemin, bordé d'une haie de chênes, fermé par une porte d'entrée impressionnante qu'on ne pouvait qu'imaginer à présent, bien sûr, car il y avait belle lurette qu'elle avait été arrachée par des voleurs au moment de la vacance, à la fin de la colonie.

La dernière fois que Farid avait emmené notre père revoir la ferme, c'était l'année dernière, il avait pleuré. Il avait émis le souhait d'être enterré au cimetière de Sidi Jalal à vingt kilomètres de là, ayant entendu au loin les roues du chariot qui venait le chercher, senti les nuages s'amonceler au-dessus de sa tête, comme les marins qui surveillent l'avancée de la brise sur la peau de la mer et qui se préparent à lever la grand-voile.

À vrai dire, El-Ouricia me déçut. La morphologie générale de la ville n'avait plus rien à voir avec le petit village de maisons de terre cuite, fleuri de plantes sauvages et vagabondes, entouré de champs de blé et de troupeaux paisibles, parcouru par un ruisseau abondant. Je remarquai d'abord le nombre déroutant de maisons en construction, aux murs à vif, sans crépi, qui laissaient apparaître de hideux parpaings, au pied desquelles régnait le chaos, amoncellements de déchets, carcasses de voitures, poubelles.

Au milieu de ce désordre en construction, flamboyaient les maisons de riches érigées trop hâtivement, au rythme des enrichissements spectaculaires des commerçants, consécutifs à l'ouverture des marchés. Maisons de la monotonie, car elles étaient toutes bâties sur le même modèle, ou plutôt non-modèle, tape-à-l'œil. Je n'aimais pas voir ça. Les volets étaient scellés, malgré la splendeur des lumières extérieures. Les antennes paraboliques défiguraient les toits et les mentalités, car il y avait de l'imitation Dallas là-dessous, la fameuse série télévisée américaine qui avait fait des ravages dans tous les quartiers pauvres de la planète.

Une autre chose me frappa. Il n'y avait pas d'animaux dans les rues. Pas un cheval, pas un âne, pas de troupeaux. L'automobile s'était infiltrée partout. À El-Ouricia, comme ailleurs, la civilisation du moteur à quatre temps avait vite renvoyé dans ses cordes celle de la traction animale et de l'huile de coude des hommes (enfin, plutôt celle des femmes).

Je n'osai avouer à ma fille ma déception.

Le taxi roula encore deux ou trois kilomètres et, à ma grande surprise, je m'aperçus que Sétif n'était plus à douze kilomètres d'El-Ouricia comme ma mémoire l'avait enregistré, mais collait presque au village d'antan qui, au cours des ans, était devenu la banlieue de l'ancienne ville romaine. La contagion de l'urbanisation avait là aussi fait des ravages, aux frais du paysage. Je vieillis de plusieurs années en quelques kilomètres. La réalité de la croissance démographique et urbaine me revenait brutalement à la gorge après une génération d'absence.

Nous entrâmes dans la ville de Sétif que le crépuscule avait commencé à envelopper dans sa pénombre. De chaque côté de la route, des maisons multiformes et des immeubles sans âme s'agrippaient les uns aux autres, comme pour ne pas se laisser grignoter le moindre centimètre carré par les ambitions expansionnistes du voisin. On aurait dit une mêlée de rugbymen serrant toutes les parties de leur être pour tout colmater et avancer sur l'autre, le piétiner afin de gagner du terrain. Ça sentait la guerre à plein nez, pas celle du terrorisme, celle de la concurrence, de la course à toujours plus. L'argent.

Nous étions loin de la Russie de Moscou sur laquelle l'Algérie des années soixante-dix avait copié son développement économique et son modèle politique. La monnaie locale, le dinar, avait depuis longtemps fait l'alliance sacrée avec le dollar. D'ailleurs, on parlait de plus en plus, à radio-trottoir, de créer une nouvelle monnaie nationale, le *donar*, pour montrer aux États-Unis d'Amérique notre volonté d'entrer corps et âme dans le monde de leur modernité. À ce moment-là, j'eus une pensée pour Buddy Holly et Lubbock, qui m'enivra. Et dire qu'il y a quelques jours je me trouvais au fin fond du Texas, dans un trou!

Plus le taxi pénétrait dans la ville et plus celle-ci m'apparaissait étrangère, comme si je n'y étais jamais venu. Des immeubles avaient poussé partout, même dans les terrains vagues que je connaissais si bien, où, au crépuscule, quand la température caniculaire de la journée revenait à un niveau humain, je me mêlais aux jeunes du quartier pour une partie de foot.

Je ferme les yeux et je retourne dans la partie. Je vois le soleil rouge orangé suivre notre match, puis traîner un peu plus avec nous parce que notre spectacle lui plaît, mais il est obligé de partir car la lune attend derrière le rideau et lui balance: «Oh, c'est à moi d'entrer en scène, dégage!» Alors, docilement, Boule de Feu s'en va éclairer une autre partie du monde et la lune prend ses quartiers.

Je vois au sommet des peupliers de gros nids de cigognes dans lesquels, debout sur leurs enchevêtrements de bois mort et de broussailles, les élégants oiseaux suivent aussi le match sur le terrain poussiéreux. Le soleil finit de darder leurs plumes de fulgurantes teintes, avant de fondre derrière les collines, retirant ses filets lumineux, repliant sur ses genoux sa robe de soie vert émeraude. Dans son sillage, les dernières lueurs permettent encore aux enfants heureux de distinguer le ballon. Entre chien et loup, l'air frais devient parfum. C'est lui qui nous manquait le plus lorsque nous rentrions à Lyon à la fin des vacances d'été. L'air du pays.

À la place du terrain vague, des montagnes d'immeubles HLM avaient été érigées par les architectes urbanistes de l'urgence. Le gravier avait remplacé la poussière. Les cigognes avaient émigré ailleurs. Le soleil pourpre cédait sans traînasser sa place à la lune, il s'ennuyait des nouveaux riches et même des nouveaux pauvres.

Le taxi nous déposa devant la maison. Un cousin nous attendait, Malek. Né à Montluel, banlieue lyonnaise, dans le département de l'Ain, en 1952. Je le reconnus immédiatement, malgré le passage du temps. La maison aussi. Elle n'avait pas changé, pas plus que le quartier, sauf qu'il n'y avait pas âme qui vive dans la rue, aux balcons, aux fenêtres, on aurait dit que tout le monde avait quitté le bateau. Collée sur le poteau électrique à l'angle de la maison, une feuille de cahier affichait, en arabe et en français, le décès de mon père survenu à Lyon le 7 avril 2002. Suivait la date de l'enterrement dans le cimetière de Sidi Jalal, le lendemain matin. Avis à la population.

Je me souviens que, lors de mes derniers séjours ici, je voyais quotidiennement de tels avis de décès sur les lieux publics et m'amusais à déchiffrer en arabe le nom des défunts. Jamais je n'aurais imaginé que viendrait le jour où figurerait celui de mon Abboué préféré. Ici, à Sétif. On en avait également placardé dans les rues d'El-Ouricia pour informer les villageois de sa tribu. Mais qui se souviendrait de ce paysan parti en France avec

156

ses bagages, et qui ne revint jamais revivre entre les siens le reste de son âge, pour la bonne raison que ceux-ci l'avaient rejoint chez de Gaulle ? Qui se souviendrait ? Tous les vieux de sa génération avaient dû tour à tour prendre la mer. Toutes les vieilles. Une vague noire m'encercla. Il fallait me dégager de l'étreinte. Nous allions être peu nombreux à l'accompagner au cimetière.

– C'est ta fille ? demanda Malek.

– Quoi ? fis-je en sortant de ma brume.

– C'est ta fille ?

– Oui. L'aînée de deux.

Ébahie, Louisa se tenait immobile devant cette fameuse maison de Sétif dont on lui avait tant parlé, un pan de son histoire à elle aussi, une branche d'un arbre dont elle se souviendra sûrement quand son heure aura sonné.

La maison était occupée par des locataires, mais aussi par Nasserdine, alias La Sardine, un des fils de ma demi-sœur décédée trois ans auparavant à l'hôpital de Sétif.

Il faisait frais à Sétif en cet après-midi. Heureusement, j'avais emporté un manteau avec moi. C'est là encore la première fois que je revenais au pays avec des vêtements chauds, moi qui ne le connaissais qu'à travers les vacances en haute saison. Je le découvrais en basse saison avec un enterrement. En lisant l'avis de décès au pied de la maison d'Abboué, la violence de son absence resurgit de plus belle. Le deuxième étage de la bâtisse était enfin achevé, mais pour rien. Le travailleur avait usé près de cinquante années à tenter de monter, de s'élever et, au bout du compte, il y avait la redescente au rez-de-chaussée.

Le cercueil devait arriver en fin de journée. Mon père allait passer la nuit chez lui, comme le veut la coutume, avant de rejoindre son dernier domicile. Il ne nous restait plus qu'à attendre, tout avait été organisé par le cousin Malek. Dans la maison, après avoir salué tous les membres du *Nous*, la famille proche et éloignée, les amis, les voisins, je suis allé me reposer dans les deux pièces que mes parents se réservaient quand ils venaient en vacances. Toute leur fortune était rassemblée là, pas grand-chose en fait, la maison constituait l'essentiel du trésor accumulé en une vie. C'était une maison de peu, recouverte d'un carrelage socialiste déprimant, le seul qu'on trouvait en vente du temps de l'Algérie de Boumediene et qu'on était bien heureux d'acquérir, avec du piston et un bon graissage. Comme pour les fruits et légumes au marché de la ville, tellement rares que le vendeur interdisait aux clients de sélectionner les meilleures pièces, les contraignant de prendre celles qui se présentaient devant eux, y compris les pourries. Quand on revendiquait le droit de choisir ce qu'on achetait, il vous rétorquait avec virulence :

– Et qu'est-ce que je vais faire de tous les fruits abîmés que vous allez me laisser, si je vous laisse choisir les meilleurs ? Les manger ?

Inutile de lui renvoyer l'argument, cela le mettait en rogne, il pouvait s'emballer et décider de ne plus vous vendre sa marchandise. Et voilà, tu m'as énervé. Je ne vends plus. Dégage. Ici, on n'aimait pas « ceux qui cherchaient à comprendre », une catégorie qui englobait tous ceux qui posaient des questions.

Chez le boucher, l'ambiance avait la même saveur à ras-les-nerfs. Quand on achetait un kilo de viande, il prenait sa hachette ou un couteau, et découpait un kilo de viande dans n'importe quelle partie du mouton. C'était de la viande, non ? Tout au même prix. Ici, c'était la quantité qui servait d'unité de mesure, pas la qualité. Plus c'était lourd, mieux c'était.

Alors, comme chez le vendeur de fruits et légumes et chez le boucher, la maison de Sétif était une maison de quantité, où tout avait été construit à la hâte et pour pas cher. Le plus désolant était que personne de la famille n'allait jamais revenir y habiter. Mon père avait sacrifié beaucoup de temps et d'énergie pour un mythe. Pour les mites aussi.

À peine quelques heures après notre arrivée, ma fille s'était déjà habituée aux autres femmes qui préparaient la venue du public et du cercueil. Elle commençait à tester les mots arabes qu'elle avait appris avec mes parents. Pendant ce temps, je suis monté à la terrasse retrouver un souvenir. Carrelée jusqu'au dernier milli-mètre carré, elle surplombait tous les toits de la ville et la forêt d'antennes paraboliques, sur fond de ciel pur dans lequel se cherchaient trois nuages étourdis. Pendant les vacances d'été, je venais là tous les soirs pour espionner la belle Naéma, ma déesse à la fine sil-houette, drapée dans de longues robes cousues d'étoiles d'or. Une fois seulement, après une vingtaine de tenta-tives avortées, j'avais osé lui dire quelques mots, à l'ar-raché, mais comme il faisait noir, l'effet de la timidité sur mon visage ne m'avait pas trahi. Plus tard, comme je demandais de ses nouvelles à La Sardine, celui-ci m'apprit que ma princesse s'était mariée, qu'elle était partie vivre à Alger où elle avait eu beaucoup d'en-fants, et qu'elle vécut malheureuse le restant de ses jours. Ce destin me froissa le cœur. J'aurais pu l'épou-ser, elle serait venue vivre en France, nous aurions eu des enfants, elle aurait approché le bonheur au plus près. Mais peut-être aurions-nous divorcé aussi ? Qui pouvait le dire ? Ce n'est pas parce que son partenaire est issu de la même origine que soi qu'on est immunisé contre les brutales ruptures. D'ailleurs, je n'avais plus d'origine !

Malgré tout, je ne pouvais réprimer l'intuition qu'elle ne se serait pas vautrée dans les bras d'un Marwan accueilli et célébré à la maison comme un frère, puisqu'elle aurait partagé le même respect sacré pour notre intérieur, pour notre intimité. Le malotru n'aurait pas étendu ses slips devant elle, ah ça non, elle les lui aurait enfilés sur la tête et elle l'aurait viré à coups de babouches algériennes dans les côtes. Elle lui aurait montré ce qu'était le *nife*, la fierté des gens de Sétif.

Peut-être. Je n'étais plus sûr de rien.

J'avais manqué de peu la perche que me tendait Naéma ou ses anges *bodyguards*. À vingt ans, on n'a pas encore la vue bien formée. On a des milliers de cordes qui descendent du ciel devant soi, avec une carte routière à chaque bout et un plan de voyage, et on croit qu'on a l'embarras du choix, mais en vérité ce n'est pas vrai. Le ciel tend un piège. Il nous teste pour voir si nous avons du nez. J'en ai manqué.

Dans les maisons alentour, beaucoup de voisins étaient morts eux aussi. J'oubliais trop facilement que vingt-cinq ans avaient forcément fait basculer les plus vieux du haut de la falaise, voilà la raison pour laquelle le quartier avait perdu une grande partie de sa vivacité.

Et les jeunes, où étaient-ils ? Beaucoup avaient fui, destination la France, l'Allemagne, les USA, l'Australie, le monde. N'importe où. Partout. Orphelins, les murs n'avaient plus de souteneurs. Fini les enfants joueurs de foot dans les étroites ruelles, les bricoleurs de chariots à roulements à billes, les vendeurs ambulants de fruits et légumes qui criaient sous les balcons, à l'entrée des maisons et dans les oreilles indulgentes de leur âne.

Je suis descendu dans une pièce du rez-de-chaussée où des hommes avaient déjà commencé à se rassembler, venus de Sétif, El-Ouricia, Sidi Jalal et d'autres villages des douars de la région. On leur servait du café et des gâteaux. J'étais le fils, j'avais le devoir de faire la conversation à tous ces gens, qui me rappelaient les circonstances de leur rencontre avec mon regretté père. Chacun me livrait un bout du puzzle, là où Abboué était toujours resté discret, prétextant en souriant qu'il ne savait jamais par où ni par quoi commencer, si bien qu'il finissait toujours par s'en tirer sans rien raconter. Il ne voyait pas l'intérêt, celui dont avaient besoin ses enfants de savoir tout simplement, savoir par où il était passé, quelle voie il avait suivie, quels récifs évités, lesquels lui avaient brisé sa coque. Savoir sa traversée. Quand on insistait, il finissait par s'énerver et se terrait derrière sa barricade, incapable de comprendre pourquoi on s'acharnait contre lui. La guerre d'Algérie était terminée, les paras étaient rentrés chez eux, Le Pen aussi, alors ? Il ne voulait pas parler, c'était son droit. C'était son devoir ! Qu'on aille ailleurs chercher les vérités qui nous manquaient. Qu'on lui apporte son café et qu'on n'en parle plus. Mais enfin, que signifient ces impudiques manières de Français ? Parler, parler, il n'y a que les femmes qu'on laissait s'adonner à pareille perte de temps, dans sa culture. Les fous, aussi. Il n'était ni l'un ni l'autre, à ce qu'il sache.

Rideau.

Dans la petite pièce sombre, des vieux entraient de plus en plus nombreux, seuls, en groupes. Des cousins de cousins, des amis. Sa famille. Nous ne les connaissions pas. La Sardine nous présentait à chaque fois et les hommes venaient m'enlacer ainsi que mes frères, nous rassurer, notre père avait bien mérité sa place dans les jardins de jasmin du Paradis, Allah lui avait fait une réservation à la mesure du bien qu'il avait semé sur terre. Un type vint m'embrasser une huitaine de fois, aux larmes.

– C'est toi Farid ? Je suis si heureux de te voir…

Je m'excusai, il y avait erreur sur la personne.

– Qu'importe. Toi, tu es lequel ? demanda-t-il en faisant semblant de deviner.

Je lui dis le numéro de classement dans la smala. Il me regarda droit dans les yeux avant de poser son énigme :

– Et moi, tu me connais pas ?

– Non.

– Je suis le fils de Khadija. Eh oui, c'est moi !

Je fondis de joie.

– Ah ouiiiiiiiiiiiiiiiii ! Le fils de Khadija ! Ah ben ça alors !

C'était seulement pour ne pas le gêner, car à vrai dire je ne savais pas du tout qui était qui.

– Eh oui !

Puis, avant que la confusion ne dégénère en honte, je préférai lui avouer que je ne connaissais pas cette Khadija censée être sa mère. Son enthousiasme retomba comme un soufflé. Il cligna nerveusement des narines. Mais c'était la sœur de mon père ! Comment, il ne nous l'avait pas dit ? Non. Enfin peut-être pas. J'avouai, stupéfait, mon amnésie. Il avait dû nous le dire, mais voilà. L'homme était mon cousin. Il me raconta brièvement de quelle branche il descendait. Sa mère était la demi-sœur de mon père, en plus des trois demi-frères qu'il avait eus. La raison de cette pléthore de moitiés dans la famille demeurait obscure. La mère avait eu plusieurs maris, autant d'enfants, qui avaient été élevés par des voisins ou des cousins. Mon père avait été accueilli par de vagues *voicousins*, un mot qu'on pourrait créer pour désigner l'absence de frontières à cette époque entre les voisins et les cousins, à l'instar de *cochonglier* définissant l'assemblage cochon-sanglier. Pourquoi sa mère avait-elle vécu avec ces différents hommes ? Qui étaient réellement les pères des enfants ?

Comment était-elle physiquement ? Personne ne me révéla le moindre secret sur le sujet. Il n'y avait aucune photo.

Autour de moi, les hommes abîmés dont les regards se croisaient racontaient les misères qu'ils avaient vécues dans le *BiTiPi* et les autres industries de France où ils étaient allés chercher la pitance de leur famille. Quand les souvenirs vivants et chauds remontaient à la surface de leur mémoire, les regards se chargeaient d'humidité, les têtes basculaient d'avant en arrière pour évoquer les chemins gravis, les années englouties, l'humilité enseignée par le temps. J'écoutais avec grande attention les témoignages de ces conteurs rescapés du béton armé, qui avaient battu en retraite dans leur pays d'origine pour y couler des jours paisibles, et voilà que la malédiction leur était tombée sur la tête, la folie s'était emparée des gens. La faute en revenait aux riches, aux voleurs, aux corrompus, aux mécréants, aux Soviétiques démocratiques et populaires.

Soudain, cousin Malek entra dans la pièce et annonça d'une voix tremblante :
– Ça y est, il est arrivé. *Yallah*, on a besoin de bras.

L'annonce parcourut mon corps comme un coup de pelle dans une fourmilière. Des nœuds se formèrent partout. Les hommes se levèrent. Je laissai tomber ma tête dans mes mains, pendant une seconde je crus qu'Abboué allait entrer sur ses deux jambes et retrouver avec émotion tous ses vieux camarades d'infortune réunis chez lui. Je respirai à fond pour donner de l'oxygène à mon cœur, puis je sortis derrière les autres pour accueillir le cercueil.

Dans la rue, une dizaine d'hommes se rassemblèrent autour du véhicule qui venait de se garer devant la porte d'entrée, face à l'avis de décès. C'est lui qui d'abord attira mon attention, ce bout de papier qui résumait en peu de mots les repères de l'homme horizontal qui revenait chez lui : une année de naissance «présumée», mais une date de décès précise : 7 avril 2002. Finalement, il s'en était bien tiré, il avait mieux conclu sa vie qu'il ne l'avait entamée. Tout le monde ne pouvait pas en dire autant, il y avait tant de familles d'immigrés dont les chefs étaient partis en France, et dont on avait perdu la trace. Volatilisés, désintégrés, évanouis. On ne savait même pas s'ils respiraient encore. Régulièrement, dans le journal *El-Moudjahid*, je voyais des petites annonces des familles de disparus recherchant leur homme qui n'avait plus donné signe de vie depuis vingt, trente ans, et dont les trous n'étaient jamais comblés par les cendres de l'oubli.

Une petite brise descendue des montagnes des Aurès balaya soudain la rue et les pâles façades des maisons. Le petit papier collé sur le poteau électrique frissonna à ses angles. La météo était clémente, heureusement, je m'imaginais mal face à face avec le cercueil de mon père par temps de pluie et de grisaille.

Des voisins étaient sortis devant leur porte pour assister à la levée du corps. Maintenant, aux balcons, des rideaux se rétractaient discrètement, laissant poindre des regards de miséricorde. La population était bien là, mais calfeutrée dans les plis des voiles de protection et des cordages.

Malek avait le gouvernail bien en main. Son propre père – un autre demi-frère de mon père – était mort deux ans auparavant, et il avait encore en mémoire les gestes de son enterrement et des cérémonies qui le précédaient. Il ouvrit les deux portes arrière du véhicule utilitaire et le cercueil apparut en grand, libérant un souffle invisible qui jaillit en courant d'air. Tout le monde eut un mouvement d'arrêt, de recul et de silence. C'était l'âme de mon père. Elle en avait marre d'avoir été transbahutée et congestionnée dans les soutes de l'avion, au milieu des marchandises, puis dans ce véhicule aux suspensions fracassantes. Elle voulait revoir sa maison. Je la sentis frôler mes joues, une fois, deux fois, s'arrêter un instant devant l'avis de décès que je venais moi-même de relire, avant d'entrer dans le couloir.

– Qui porte ?

Malek réveilla de son hypnose la foule massée derrière le véhicule. C'était bien beau de rêvasser, mais l'enfant de Montluel avait gardé la rationalité cartésienne de son pays de naissance. Il fallait accomplir ce qui devait l'être. Je me proposai, en même temps que d'autres hommes, mais des voix s'élevèrent pour dire que l'honneur de porter la charge revenait en priorité aux fils. Alors, petit à petit, nous avons extrait la boîte de la voiture, et le hublot apparut, puis le visage d'Abboué, encore plus amaigri, en même temps que des prières prononcées à haute voix s'élevaient vers les cieux, des mots de stupéfaction lâchés par des gens saisis par l'extravagance de la mort.

Au balcon de notre maison, des femmes observaient la scène. Quelques-unes pleurèrent, des larmes contagieuses, et je forçais sur les muscles de mes mâchoires pour me retenir.

Nous étions six à soulever le cercueil au-dessus de nos épaules. C'était ma première expérience. J'étais là, à Sétif, au seuil de notre maison, en train de charger sur mon épaule comme un vulgaire baluchon le cercueil plombé d'Abboué ! Au moment précis où nous traversâmes la porte d'entrée, je me répandis de nouveau en larmes, la tête calée sur un côté du mobile home. Ça y est, le ruban était coupé, mon père rentrait enfin chez lui, *ritour dénifictif* comme disait Oncle Ali et beaucoup de *chibanis* de France pour dire « retour définitif » au pays. Le bateau revenait à son port d'attache, le mât brisé, sans gouvernail, battant pavillon noir.

Au moment de la traversée du grand couloir, l'affaire se corsa à cause de l'étroitesse du passage, mais en acceptant de se frotter contre les murs, on put néanmoins parvenir jusqu'au pied des escaliers. Le corps était maintenant dans l'enceinte de la maison, le *haouch*. Ici, sa présence prenait un sens encore plus aigu comme une étoile sertie dans une voie lactée, une planète dans son système. Dans la cour centrale, les femmes expulsèrent des cris d'Indiens, geignirent encore, à l'exception de la vieille Zidouma, locataire depuis une génération, qui avait enjambé tant de décennies, déjà, qu'elle n'avait plus de muscles pour activer la pompe à sanglots. Elle regarda passer le funèbre convoi, courbée sur elle-même, les bras abandonnés sur ses jambes, et ses yeux étaient devenus un écran à cristaux liquides sur lequel était projeté le film de sa propre vie, l'époque des colons chez qui elle était bonne, l'indépendance, Boumediene, la mort de son seul et unique époux qu'elle aimait toujours, les sécheresses, inondations, tremblements de terre, la désillusion, la guerre civile, son éternelle télévision à chaîne unique, en noir et blanc. Elle parlait un français impeccable, avec l'accent pied-noir, à tel point qu'au début j'avais cru qu'elle était espagnole ou italienne. Mais non, elle était bien sétifienne, femme libre, indépendante et de caractère.

Il y en avait ici aussi.

Elle suivit l'arrivée des porteurs jusqu'au bas de l'escalier, consciente qu'un de ces prochains matins, la cérémonie serait en son honneur. La seule différence, c'est qu'elle serait inhumée dans un linceul blanc, alors qu'Abboué allait l'être dans un cercueil parce qu'il revenait de loin.

Une trentaine de marches en colimaçon ! Comment faire accéder le cercueil dans la pièce qui lui était réservée au premier étage ? Telle était la difficulté qu'il fallait maintenant résoudre, la même que dans la cité lyonnaise où les ascenseurs n'avaient pas été prévus pour le transport des cercueils. De ce point de vue-là, les défaillances des architectes à courte vue s'équivalaient.

Colimaçon ou pas, il fallait monter le corps dans la pièce. Nous voilà en train de gravir les premières marches de l'escalier en spirale, mais très vite l'affaire devient délicate, le passage est de nouveau trop étroit. Sur les côtés du cercueil, les porteurs ne passent pas. Il faut redescendre. Oui, redescendons, on réfléchira sur le plat et les épaules pourront reprendre leur souffle.

Pendant ce temps, d'en haut, les femmes ont un accès direct au hublot et au visage de mon père qui regarde pour la première fois sa maison à l'horizontale.

On essaie de nouveau. Farid dirige la manœuvre. Deux hommes vont tirer la proue, deux autres pousser d'en bas. Attention, surtout tenir le cercueil bien droit, interdiction formelle de le hisser comme des brutes et provoquer le tassement du corps en accordéon. Allez hop ! On hisse ! Mon bras se coince dans celui de mon voisin, je lui crie de lâcher, mais il ne peut pas, cela risquerait de déséquilibrer le cercueil, je serre les dents en attendant qu'il parvienne à dégager son bras. La torsion me tue.

Deuxième tentative, deuxième échec.

Les gens commencent à se poser des questions dans les mezzanines. Les murmures se font de plus en plus bruyants. Finalement, deux jeunes garçons vaillants s'engouffrent sous le cercueil et, de leur dos, le soulèvent afin de faciliter la prise à ceux qui tiennent les extrémités. L'initiative est concluante. Soulagés, nous arrivons en haut de l'escalier et nous allons déposer le corps d'Abboué dans la pièce réservée. La porte est étroite, mais maintenant nous sommes rodés.

Il est chez lui. Il peut se reposer en paix. Et nous aussi.

Dans la chambre, au moment où je me baissais pour déposer le mobile home sur le carrelage, j'eus la sensation que le souffle qui avait jailli lors de l'ouverture des portes du véhicule utilitaire me remerciait et commençait à prendre ses aises dans son nouvel appartement. C'était un tapis volant imaginaire, petit et doux, comme celui qu'Abboué utilisait chaque jour pour faire ses cinq prières. Il était satisfait, fatigué mais satisfait. Restait la phase finale, l'inhumation, demain matin avant midi, et on en resterait là si vous le voulez bien.

Dans toute cette agitation, cet épuisement, conscients d'avoir accompli une mission d'importance, mes frères et sœurs échangeaient avec moi des regards d'apaisement, tout en continuant d'accueillir les personnes qui nous rejoignaient dans notre peine. De temps en temps, j'allais voir ma fille dans l'espace des femmes pour connaître ses impressions, elle était heureuse d'être là. Elle me le disait. J'essayais de ne pas vivre muet comme Abboué l'avait fait, je lui parlais, même si je n'avais rien à lui dire. Il y avait tant à voir, écouter, tant à faire.

Nous passâmes la fin d'après-midi à boire des cafés, entre hommes, dans la pièce attenante à celle où reposait mon père. À un moment donné, à ma grande surprise, mes voisins se levèrent tous dans un même élan, enfilèrent leurs chaussures déposées à l'entrée et se précipitèrent dehors comme s'ils avaient reçu un ordre. Dans la pièce ne restaient plus que mes deux frères et moi, ainsi que le petit enfant de Malek. Je demandai à Farid où ils allaient. À la mosquée du coin. Ils avaient entendu l'appel du muezzin résonner dans leurs fines oreilles de croyants. Nous, rien. Nous n'avions pas les bonnes oreilles. Farid avait juste eu le temps de discuter avec Malek de la vie à Sétif aujourd'hui et il avait appris que les gens se réfugiaient à corps perdu dans les mosquées pour redonner du sens à leur vie. La ville se voilait depuis des années, comme pour profiter des vents qui l'emmèneraient vers son passé. J'étais curieux de savoir de quel passé glorieux il s'agissait.

Les croyants s'étaient levés dans une parfaite discipline et dirigés comme un seul homme vers leur phare. Le muezzin était leur corne de brume. Je regardai mes deux frères pour leur dire combien nous étions loin de ces rivages, malgré les tentatives du père pour nous éduquer dans les principes de la foi musulmane, mais notre esprit libertaire et indépendantiste l'avait emporté haut la main sur une quelconque allégeance aux écrits du Livre saint. Cela s'était fait naturellement, nous n'étions pas réfractaires à la religion, pas croyants au sens propre du terme, seulement respectueux de la foi d'autrui. Et, Dieu merci, les *voicousins* d'ici ne nous avaient fait aucun reproche à ce sujet, prouvant ainsi leur esprit de tolérance et leur acceptation des différences, même entre gens de la même tribu. Nous n'avions pas la bonne foi, qu'à cela ne tienne ! Dieu nous remettrait dans le droit chemin au moment voulu. J'appréciais cette intuition démocratique qui offrait des degrés de manœuvre intéressants à *Je*.

Le temps de se reposer quelques minutes, ils étaient de retour à la maison. Où en étions-nous ? Ah oui, et la discussion reprenait sur les difficiles conditions de vie en Algérie, la honte des Arabes qui laissaient les Palestiniens se faire massacrer par Sharon, les avions qui s'étaient crashés sur les tours du World Trade Center.

– Qui croit que des Arabes musulmans aient pu commettre pareil acte ?

– Et pourquoi pas ?

– Tu rigoles ou quoi, cela demandait bien trop d'intelligence et d'organisation, autant de qualités dont les Arabes ne disposent pas en abondance, pour rester poli.

– Tu as raison, du pétrole, oui, ils en ont, mais de la solidarité avec les frères du monde entier qui souffrent sous le joug des Russes ou des satanés Américains, ah ça non, ils en sont bien incapables, les misérables traîtres !

– Eh oui, qu'est-ce que tu veux, mon frère, tout ça c'est la *boulitique* !

– Quoi ? Comment, la *boulitique* ? C'est la foi ! Ces gens-là qui se disent musulmans ne le sont pas plus que… ils n'appliquent pas les vrais principes du Coran, voilà leur problème. Figures de traîtres !

– Mais un jour viendra où tout ira mieux, l'herbe repoussera…

– Comme au temps des Français ! *Oualla* que je le pense ! Quand ils étaient là, tu te souviens de la hauteur des blés dans les champs, de l'eau qui coulait aux fontaines, de l'entretien de leurs maisons et des routes, de la puissance et de la beauté de leurs chevaux… T'en souviens-tu ?

– Oui, je me souviens, mais toi tu étais trop jeune en mai 1945 quand l'armée tirait dans le blé où nous nous étions cachés, tu te souviens du fils Boumaazi qui avait reçu deux balles dans la tête ? On était allés le rechercher avec Abboué – qu'Allah l'accueille en ses jardins

– et on l'avait trouvé bouche ouverte… Alors, la France… hein…

– Tout ça, c'est la faute des Juifs. Ils sont trop puissants, trop gourmands. Ils vont prendre un jour la Syrie, le Liban, l'Irak… avec leur *bombatoumique*. L'Amérique, qui c'est ? C'est eux. Voilà la vraie vérité.

Dans la pièce d'à côté, je ne savais pas si mon père arrivait à suivre la conversation sur laquelle j'avais du mal à me concentrer. À entendre ces frères croyants parler de Palestiniens et de Juifs, une idée fit marche arrière dans mon crâne. J'allais leur soumettre mon cas d'espèce personnel, Tabou et Sacré, concernant mon profanateur, leur refaire le coup de Tanger pour solliciter leur avis éclairé sur le moyen d'atténuer ma haine cancérigène, les informer de ma demande à Yasser Arafat de m'envoyer par FedEx les couilles de Marwan dans un bocal de formol pour me réconcilier avec mes origines, de mes inquiétudes aussi, vu que le vieux chef malade et prisonnier de son quartier général n'avait aucune chance d'obtenir de Sharon un laissez-passer pour se rendre à Saint-Jean-d'Acre, trouver mon homme et exaucer mon vœu.

Alors, quels conseils pouvaient me prodiguer les membres de ma tribu pour me venger du déshonneur ? Aller goûter du psy, m'allonger sur son divan et déverser mes mots extraits comme d'un puits ? Une amie de Lyon, Maghrébine, mariée à un homme non circoncis, m'avait conseillé son thérapeute lacanien, il lui avait réparé pas mal de fissures. J'y étais allé. Il avait des lunettes, un visage carré et de fines lèvres qui roulaient difficilement les mots. Bonjour, assis. Vas-y, cause, tu m'intéresses. Je l'intéressais, c'était vrai. Mon exposé et l'analyse que je faisais de ma situation. Cinquante minutes. Debout. Vous me suivez à mon bureau. Cinq cents francs. On prend quand même rendez-vous pour la prochaine séance. Quand cela vous arrange-t-il ? Pas le temps de réfléchir. Je reviens au bout d'une semaine. Assis, cause, viens à mon bureau. Autre rendez-vous. Après quatre rencontres horizontales et deux mille francs plus loin, le type m'avait dit : Mais pourquoi vous en voulez tant à ce Marwan, qui, soit dit entre nous, était plus américain qu'autre chose ? C'est pas vous qu'il a baisé, non ? Vous êtes jaloux ? Réfléchissez avant de répondre. Vous avez des tendances homosexuelles et vous êtes jaloux. J'étais tombé à la renverse. Tout ça pour ça ! Il n'avait rien compris, l'hospitalité, les valeurs, l'accueil, la confiance, les Arabes... Le sang était monté à ma tête. Il aurait fallu me voir me redresser brusquement, sauter du divan et me précipiter de mon plein gré au bureau pour payer mon amende en liquide. Et crier : J'arrête là. Il avait fait mine de rester stoïque. Tranquillement il m'avait demandé, en s'asseyant sur son fauteuil, si c'était une question d'argent, et j'avais dit en partie, alors il avait proposé que je vienne gratuitement. J'avais levé le bras : hou là là, je te vois venir mon *cochonglier*, non, non, je me tire, *ciao* ! Je m'étais retrouvé sur le trottoir, à mon point de départ, allégé d'une belle petite somme, le prix d'un voyage Lyon-Sétif. Heureusement, personne de ma smala n'avait entendu parler de ces séances de délestage de revenus pour pas un rond. Mon honneur était sauf.

Autour de la *maida*, petite table ronde, sur laquelle les cafés se succédaient à défaut d'autres apéritifs, les hommes étaient bien plus pragmatiques que le psy à cinq cents francs. J'étais convaincu que si j'offrais deux mille *donars* à l'un d'eux pour qu'il aille rechercher sur Internet ma hantise à deux pattes, le retrouver et m'apporter son scalp, ma fracture psychologique serait réduite en un rien de temps. J'avais tant envie qu'on m'aide à reconstruire une maison à deux étages, mais avec un large escalier, et des enfants dedans, bruyants, pour faire peur aux fantômes la nuit.

À me réconcilier avec tous les débris de moi-même partis en confiture.

Exposer ici ce cas d'espèce si infâme, au milieu de ces croyants, si près de mon père, n'était pas possible. D'ailleurs, à aucun membre de ma famille je n'avais parlé de ce clou rouillé que le faux frère m'avait planté dans la tête pendant mon long sommeil de rêveur. J'avais trop honte.

J'étouffais dans cette pièce, tout à coup. Deux types avaient allumé des cigarettes algériennes à base de foin. La situation allait vite s'entartrer. J'ai fermé ma boîte à secrets, dégluti un bon coup et je me suis esquivé. Je décidai de faire un tour à Sétif, tenter de reconnaître quelques bonnes odeurs.

La rue de Constantine, l'artère principale, le centre près du quartier des arcades, le quartier de la fontaine Aïn Faouara au bas de la ville n'avaient presque pas changé, mais la cité s'était dramatiquement répandue dans tous les sens. Elle prenait la fuite par tous les orifices géographiques laissés vacants par les planificateurs. Là où je me souvenais de vides, de terrains vagues, d'espaces sans définition précise mais fertiles à la rêverie, tout avait été rempli, comblé, fonctionnalisé. Maisons de nouveaux nantis, immeubles cubiques de toutes tailles, entreprises, garages, magasins, snacks, kebabs, grills, tout y était. Le pays avait rattrapé le reste du monde en une génération. Un hôtel gratte-ciel était même en construction et obstruait le ciel, anticipant un avenir jugé prometteur pour la ville sur le plan touristique et économique. L'université comptait des milliers d'étudiants. L'accès rapide au réseau Internet accélérait considérablement l'essor et la complexité de la société. En plein centre, un grand parc d'attraction avec jeux pour enfants, bassins et barques de location, bars, bancs publics avait été construit. Une belle réalisation. Des jeunes, des couples et des familles s'y baladaient tranquillement. Souvent les femmes étaient voilées, et je me surpris à ne m'intéresser qu'à celles-ci, en fait pour mesurer inconsciemment l'avancée du Coran dans les esprits de cette ville redoutée dans tout le pays pour ses chauffeurs suicidaires.

En sortant du parc après ma visite, je fus intrigué par la façon de marcher d'une jeune fille d'environ dix-huit ans, voilée de noir de la tête aux pieds, qui feignait de s'arrêter pour contempler les vitrines. Un jeune homme la talonnait de près, animé de mauvaises intentions envers elle, cela se voyait à sa façon de se retourner dans tous les sens pour vérifier que personne ne l'épiait, tout en avançant vers elle. Je m'approchai aussi, prêt à défendre la jeune fille en cas d'agression. À ma grande stupéfaction, le garçon se plaça derrière elle, fit mine de contempler la vitrine d'à côté et engagea la conversation avec elle. J'entendis parfaitement ce qu'il lui disait : il lui donnait rendez-vous ici le lendemain à quatre heures. Quatre heures ? Elle ne pouvait pas, elle finissait les cours à cette heure. Quatre heures et demie. OK. Elle partit la première, tandis qu'il prenait le chemin inverse, adoptant une nouvelle démarche, celle d'un amoureux qui mourait d'envie de sauter en l'air et de frapper ses deux talons l'un contre l'autre, mieux que Fred Astaire, tellement il avait le cœur en joie et le corps léger. Le plus extraordinaire était que les deux tourtereaux s'étaient parlé sans échanger un seul regard ! Ils se humaient. À en juger par leur technique d'approche, ils n'en étaient pas à leur premier rendez-vous.

Agréable leçon de relativisme pour moi : la jeune fille avait beau être recouverte de son voile de sainte, elle n'en demeurait pas moins une fille amoureuse et développait mille astuces pour rencontrer des garçons et tomber un jour sur son émir charmant, un homme qu'elle aurait choisi, que personne ne lui aurait imposé. Pareille évolution était rafraîchissante. Je remerciai le ciel de m'avoir pris comme témoin de cet accostage, cela confirmait ma vision de Janus en trois équations : il y a d'abord ce qui est et qu'on voit (mon père était bien mort par exemple), puis ce qui n'est pas et qu'on voit quand même (c'est le cas du soleil qui tourne autour de la terre, on le vérifie chaque jour à la fenêtre), et enfin ce qui est et qu'on ne voit pas. Dans ce dernier groupe, je mettais bien entendu le sujet de ma névrose qui avait traîtreusement frappé à ma porte vêtu de son discours de résistant de gauche à l'impérialisme. On pouvait y ajouter beaucoup de responsables de la classe politique qui, depuis l'indépendance, avaient ruiné le pays sous couvert de socialisme et de révolution prolétarienne et s'étaient fait bâtir des châteaux en Espagne, à partir de leurs comptes en Suisse.

En surprenant cette fille voilée qui draguait dans les rues, j'étais rassuré d'avoir été témoin d'un comportement qui n'était pas visible à tous. Et cette image contrebalançait celle des religieux en train de boire le café à la maison et qui couraient à la mosquée toutes les trois ou quatre heures les uns derrière les autres. Je suis retourné chez *Nous* le cœur apaisé, malgré un doute qui grandissait en moi pas après pas : la jeune fille pouvait très bien être une prostituée faisant du racolage sur la voie publique ! Néanmoins, cela ne changeait rien à ma conclusion. La réalité était toujours plus entremêlée que l'œil ne la percevait.

Quand je revins à la maison, je croisai Malek sorti s'oxygéner dans la rue. Il s'intéressa à mes impressions sur Sétif, s'empressant de souligner que c'était la ville la plus propre d'Algérie, malgré le million d'habitants qui s'y entassaient. Je l'admettais aisément, et c'était un autre élément réconfortant.

Nous bavardâmes de tout, surtout de mon mariage raté avec une Blanche alors qu'il y avait tant de filles de chez *Nous* dont j'aurais pu, selon lui, faire le bonheur si j'avais daigné me tourner vers elles.

– Des puits de beauté ! s'exclama-t-il en déposant un baiser sur ses doigts joints. Bien éduquées. Des filles de famille qui ne font pas de zigzag comme la Française peut en faire, des filles à qui tu peux commander ce que tu veux, elles te l'apportent sans discuter. Elles sont là pour toi…

Je priai le bon Dieu que mes propres filles ne tombent pas dans ce profil féminin dont rêvait le cousin. J'avais déjà entendu trop de fois ce type de commentaire sur la femme idéale, il correspondait plus au genre canin dressé que féminin éduqué. En souriant de cette bêtise, je laissai Malek s'emballer. Il m'intéressa davantage quand il avança l'idée que vivre à deux était une source de conflit permanent, il fallait que l'un cède et le premier qui craquait avait perdu, alors seulement la famille pouvait commencer à se former. Là encore, sa théorie sentait le chenil à plein nez, mais elle avait un rapport avec l'humain. Être deux est un échange, mais souvent un échange inégal. Cependant, me référant à ma désolante histoire, je savais qu'être seul pouvait aussi constituer une source de conflit permanent. Il n'y avait pas besoin d'être deux pour se tirailler, se déchirer et se briser contre la falaise.

Farid nous rejoignit sur le trottoir. En plaisantant, il demanda où on pouvait boire un apéritif par ici, ce qui fit sourire jaune le cousin qui avait entendu parler de tripots au centre-ville où les épaves trouvaient de la bière et du vin, mais ce n'était pas son chemin, lui s'en tenait au petit lait, seule boisson fermentée qu'il s'autorisait, compatible avec la prière. Brusquement, je me souvins d'avoir acheté une bouteille d'écossais Bowmore à la boutique détaxée de l'aéroport de Lyon, mais je n'en fis pas mention. Après tout, une semaine sans alcool ne pouvait faire que du bien.

Au bout de quelques minutes d'hypocrisie sur la beauté de la ville et la douceur de vivre au pays, Malek succomba et en vint à sa requête. Lui qui était né dans l'Ain, il aurait bien aimé que la France s'en souvienne et lui octroie la nationalité française. Il s'était renseigné, on lui avait confirmé qu'en vertu du principe du *jus soli* les individus capables de prouver qu'ils étaient nés sur le territoire français pouvaient dans certaines conditions déposer un dossier de réintégration dans la nationalité française. Il connaissait plusieurs malins qui avaient fait cette démarche et obtenu gain de cause. Il fallait qu'on l'aide en allant au village où son père louait une maison près de Montluel, au temps des tractions avant de chez Citroën, les images étaient encore intactes dans sa mémoire, et qu'on explique au maire actuel qu'un Sétifien souhaitait ardemment rentrer au pays, son autre pays, la France, et surtout y vivre loin des siens le reste de son âge. Malek déposa sans détour tous ses espoirs dans le creux de mes épaules. Il m'avait vu plusieurs fois à la télévision, avait lu des articles de moi, sur moi, j'avais donc le bras long, il suffisait que je passe un petit coup de téléphone de rien du tout à mes amis politiques pour qu'il obtienne son passeport français. Il y avait des piles de dossiers qui étaient en attente ? Et alors ? Un employé recevrait une recommandation pour que le dossier de Malek se retrouve par magie en tête, et voilà, l'affaire n'était pas si compliquée. J'étais un peu timide, c'était là mon problème, alors qu'il y avait tant de gens qui ne se gênaient pas pour graisser la patte des fonctionnaires et puis d'ailleurs, ici même dans le quartier, plus d'un jeune avait obtenu ses papiers français grâce au traditionnel système de graissage. Alors ?

Pour ne pas réduire ses espoirs à néant, je lui répondis que je ferais mon possible dès mon retour à Lyon pour me soigner, éradiquer toute trace de timidité dans ma personnalité, aller immédiatement trouver le maire du village où il était né et lui présenter ma requête. Et s'il n'obtempérait pas, ce fils de pute, *narradin babah el-kelb, ce halouh de chez halouf*, j'irais plus haut, Matignon, l'Élysée, Bruxelles. Je ne lâcherai pas l'affaire. Juré, promis, craché.

Malek était satisfait. Il me convia à entrer dans la maison, on nous appelait pour dîner. Voilà comment il aimait m'entendre parler, nom de Dieu, les Sétifiens avaient du *nife* et des couilles. Pas comme les autres habitants du monde.

*

De la chambre où mon père se reposait, les femmes avaient fait leur quartier. Maintenant que les hommes avaient calé les choses, organisé les funérailles, monté le cercueil au deuxième étage, elles pouvaient entrer dans la ronde et veiller le corps jusqu'à l'aube. Même si l'âme d'Abboué était arrivée en hauts lieux depuis plusieurs jours déjà et qu'elle gambadait à des millions de kilomètres dans les murmures célestes, il fallait que les sensibilités féminines continuent à l'entourer de miséricorde. Quand je pénétrai dans la chambre, elles étaient toutes là, au coude à coude, assises en tailleur autour du cercueil, le protégeant, pleurant ou parlant, les enfants tournoyant autour d'elles. C'était un étrange tableau. Elles levèrent la tête vers moi. Je reconnaissais quelques visages, mais beaucoup m'apparaissaient pour la première fois, je ne savais pas qui étaient ces femmes. Un enfant se pencha sur le hublot de la boîte, observa le visage de mon père en faisant pivoter sa tête pour en parcourir chaque détail, se retourna vers sa mère, surpris :

– Pourquoi il a mangé ses lèvres, le grand-père ?

Elle lui dit gentiment de s'écarter de là, mais il se pencha de nouveau sur le hublot. Alors elle le tira par le short, il tomba à la renverse, se releva en colère et quitta la salle en me marchant sur les chaussures.

Ma fille, au milieu de toutes ces femmes, faisait connaissance avec sa moitié de culture manquante, aidée d'une traductrice de son âge qui jonglait avec son français appris à l'école. Elle prononçait d'ailleurs *icoule* et ma fille avait dû corriger sa prononciation en riant. La scène me rappelait quelque chose.

Ma sœur Grande Hypophyse vint m'informer qu'elle avait préparé pour moi et mes frères des matelas dans la pièce du rez-de-chaussée. J'y allai de ce pas. Je jetai un regard sur le visage d'Abboué, c'était sa dernière nuit dans sa maison, demain il y aurait un trou béant à la place de son mobile home. La tristesse me gagna de nouveau. Était-ce une obligation de dépenser une vie entière à bâtir une maison pour des enfants qui ne l'habiteront jamais, puis de la louer à des locataires qui ne payeront jamais parce qu'ils n'ont pas de sous ?

Je laissai ces questions en suspens.

Dans la pièce du bas, des matelas étaient posés contre chaque mur. J'en choisis un au hasard, enfilai des boules de cire dans mes oreilles pour mon isolation phonique et m'allongeai en poussant un long soupir de décompression. Il faisait frisquet. Le carrelage était froid. Dans une armoire murale, je dégottai une couverture acrylique importée de France. Elle sentait l'odeur de mon père, je la respirai profondément. À côté, il y avait aussi ses vêtements soigneusement pliés et rangés en piles. La couleur blanche y dominait, celle des chemises, des djellabas, des caleçons. Ces dernières années, plus Abboué vieillissait et plus ses tenues devenaient immaculées, alors qu'au marché aux puces du Tonkin il achetait des pulls et des chemises de n'importe quelle couleur, même les plus exotiques, à l'époque c'était le prix qui comptait.

J'ai retrouvé dans l'armoire un vieux pull bariolé. Je me souvenais que c'était l'un de ses préférés. J'ai passé mes doigts dessus. Il ne servirait plus. Que faisait-on des choses d'un défunt, les donnait-on aux pauvres ? Certainement qu'ils n'accepteraient pas, par superstition, par peur de mourir eux aussi. Mais pourtant, pensais-je, il en est bien qui *survivent* avec des organes prélevés sur des inconnus, j'en connaissais un qui avait le cœur d'un autre dans sa poitrine et qui vivait avec des émotions qui lui étaient étrangères ! Alors ? Bien sûr qu'on donnerait les pulls et les pantalons de mon père à des pauvres et ils les accepteraient sans chercher à comprendre, comme dirait l'autre vendeur du marché, celui qui voulait qu'on achète ses fruits sans choisir.

Ça y est, je commençais à divaguer. Ça touillait sec dans ma marmite à cogiter. Je remontai la couverture jusqu'à mon menton. Il faisait vraiment froid, maintenant.

La nuit tira ses rideaux comme une blanche voile sur son mât. Un écran.

*

Je suis dans le salon de mon appartement de Lyon, effondré, une information est parvenue à mes oreilles. Du neuf sur l'échelle de Richter. De quoi tout déglinguer sur la surface et les fondations du monde. La trahison. Du frère. La fine lame du couteau s'est plantée dans mon cœur comme un tison à injection de venin. Je sais que le cauchemar est amorcé, à présent, c'est le générique, le film va durer au moins dix ans. Les enfants sont allés se coucher, ils doivent se réveiller tôt demain matin pour aller à la crèche et à l'école. Je feins de m'intéresser au journal télévisé, elle est là, près de la table de repassage, à s'activer les mains.

– Tu baisais avec Marwan !

Elle repasse encore un coup, puis se tourne dans ma direction, comme si elle n'était pas sûre d'avoir ouï un bruit suspect. Elle a bien perçu une météorite qui revient du futur et qui apporte avec elle ses tonnes de gravats. Je répète ma phrase en gueulant plus fort. Elle tire alors de sa gorge un hurlement, parce qu'elle voit maintenant la comète foncer droit sur elle, sur nous. Mais qu'est-ce que je raconte, je délire, je suis un malade mental ! Moi coucher avec lui ? Non, mais, je, tu, ça va pas, je, on va pas. Faut te soigner !

– Pourquoi tu m'as fait ça ?

Et je fonds en larmes parce que la comète a percuté ma maison dans un vacarme assourdissant, elle s'écroule

sous mes yeux et mes yeux sont dedans, avec moi derrière, je n'en réchapperais pas, enseveli. Chut, parle doucement, les enfants vont se réveiller. Elle est d'une
pâleur cadavérique. Elle ne comprend pas d'où j'ai sorti
pareilles sornettes. Mais qui a bien pu. C'est pas parce
que je. Que. Mais enfin, tu as bu.

– Pourquoi ?

– Mais pourquoi quoi ?

Mes questions marteau-piqueur se réduisent en peau
de chagrin. Les mots fondent dans mon bouillon de
larmes. Mes questions ne sont même plus pour elle, elles
me sont adressées, passent directement de ma bouche
à mes oreilles. J'ai usé dix ans de ma vie à essayer de
construire ma maison, avec un emprunt à quinze pour
cent pour accomplir un rêve, celui de tout le monde, clô-
turer mon jardin avec une haie, inviter des amis à venir
dîner ce soir, c'est moi qui fais à manger, un carry
réunionnais, ma spécialité, on va arroser ça avec un bon
châteauneuf-du-pape. Et des crevettes en entrée. Ça va
des crevettes ? Tout le monde aime les fruits de mer.

– Pourquoi ?

– ?

Dans son regard, il y a des points d'interrogation,
maintenant elle a capitulé, elle sent qu'on ne peut plus
revenir en arrière. Est-ce qu'elle pourrait se faire
« débaiser » ? Ça n'existe même pas dans le dictionnaire.
Mordre et *démordre*, oui. *Manger* et *démanger*, oui. *Lire*
et *délire*, oui. *Saler* et *dessaler*, oui. Mais *baiser* et
débaiser, non. Impossible. Mon dictionnaire me propose
des mots qui approchent, débiter, dépayser ou encore
déboiser, qui est le plus près. Mon ordinateur me dit :
Es-tu sûr d'avoir bien écrit le mot, maître ? Je lui
réponds qu'il y a des mots qui le dépassent, qu'il a beau
être une machine bien huilée, il reste une machine et ne
peut pas avoir accès à mon cœur qui comprend très bien
la signification du mot *débaiser*. Mais de toute façon, il

n'est pas si éloigné de la vérité, car je me sens effectivement déboisé, débité, dépaysé. La météorite est tombée dans mon jardin et mon grenier où je stockais mes souvenirs. Je me lève, je vais dans le placard et m'empare de tous les albums de photos que nous avons faits ensemble au cours de ces années communes, je les envoie dans la cheminée où des bûches sont en train de se consumer. Qu'est-ce que tu fais ? Je brûle toute cette merde. Mais ? Y'a pas de mais, reste où tu es. Elle ne bouge pas. Je fous le feu aux albums un par un. Elle avait pris plein de photos avec lui, au cours d'un voyage qu'elle avait effectué en Californie, avec une copine, pour aller le revoir. Je lui avais offert ce voyage pour son dernier anniversaire, un billet *open* pour n'importe quel lieu dans le monde. Les flammes mangent les photos. L'odeur est âcre.

Elle s'assied, muette.

Finis les matins tranquilles où je me lève tôt[1] pour me glisser dans mon bureau et poursuivre l'écriture de mon livre, puis vers sept heures et demie, entendre des petits pas qui tapotent sur le parquet, arrêter d'écrire, guetter, et voir qui ? Ma petite chérie de six ans qui vient se blottir dans mes bras, au-dessus de mon livre en chantier. Elle sent bon, l'innocence a une odeur.

La culpabilité aussi. Pourquoi tu as cassé ma maison ? Mais j'ai rien cassé du tout, tu délires, tu dors, tu vas te réveiller, tu me vois faire l'amour avec ce gros machin, tu as vu sa tête ? Allez, arrête tes conneries. Viens.

– Viens où ?

Elle ne sent pas les secousses, le tremblement. Déracinés les oliviers, calcinée la terre, en ruine la maison, tu dégages de là, maintenant c'est mon pays, la terre promise, vieux, et tu peux prendre ton âne avec toi.

---

1. Je ne suis pas un couche-tard, mais plutôt un écris-tôt.

Je vomis tout ce que j'ai sur le sol de la cuisine que je venais de faire recarreler. Je me tape la tête contre le rebord de la table. Elle recule, de peur, puis avance vers moi pour m'empêcher de mourir, je lui crie d'enlever sa main sale.

Whisky. Où est la bouteille de whisky ? Je me redresse. J'ouvre le placard à spiritueux, j'en déniche une, bon marché, rien à voir avec le Bowmore, je l'ouvre à la hâte, j'ai besoin de feu pour m'éteindre. Pas besoin de verre, je n'en suis pas à la dégustation, mais à la beuverie, il faut liquider. Mais qui va s'occuper de mes enfants que j'aime tant ? Qui va s'occuper de mes yeux ?

Elle est à la dérive, elle est déjà perdue, elle se lève, vient encore à moi, tous les muscles de son visage sont resserrés les uns contre les autres, ses yeux sont explosés, des années sont entrées dedans en cassant les bords, elle crie « Allez baise-moi », je me raidis comme un taureau, contre mon gré, j'entends ces mots violents et j'ai une élongation musculaire qui déchire mon pantalon, c'est une montée de haine dans la cheminée du volcan, je réduits en lambeaux mon pantalon que j'évacue de force par mes chaussures toujours restées à mes pieds, elle se tourne pour me montrer son dos et j'entre en elle comme un cheval de Troie, je veux voir ce qu'il y a à l'intérieur du genre féminin en pénétrant par surprise, je chiale et je glisse en elle, je sais qu'il n'y a déjà plus rien à faire, on baise, on débaise pas, ça n'existe dans aucune langue, même pas en américain, je me répands en elle, un torrent de lave dévale en trombe du haut du cratère de frustration, emportant toute la maison. Épuisé, je retombe sur les fesses. Le canapé me retient. Je me remets à pleurer.

Toutes les maisons finissent par s'écrouler, un jour ou l'autre. Ou alors on passe une vie à les construire, pour ne pas les habiter.

*

Un rayon de soleil sétifien égaré fait le tour de la pièce à la recherche de la sortie, il ne se souvient même pas comment ni par où il est entré. C'est un rayon d'avril, un nouveau-né, il n'a pas encore l'habitude de fuguer, il roule sur mes yeux, les observe, les chauffe. Je les ouvre lentement. La première chose dont je me rends compte est la force avec laquelle mon rêve m'a saisi au cours de la tempête. Le drap et la couverture sont tout humides, plus qu'humides, j'ai dû transpirer à grosses gouttes. Je regarde autour de moi, seul un de mes frères dort encore, la bouche grande ouverte comme s'il attendait le retour de son papa qui allait lui apporter à manger. Je me lève, je marche vers la salle de bains. Il n'y a pas une goutte d'eau au robinet. Je cours aux toilettes. À sec. L'État n'a pas envoyé d'eau dans les tuyauteries, pourtant nous ne sommes qu'au début du printemps, le spectre des grandes chaleurs d'été est encore loin. Des terroristes ont certainement saboté les canalisations. Je prends une bouteille d'eau minérale que mon frère dormeur a posée à son chevet et je retourne faire ma toilette minérale. J'ai grand besoin de pureté cristalline.

C'est le grand jour. Une horloge pendue de travers à un mur marque sept heures. Je la reconnais, mes parents l'avaient rapportée de leur pèlerinage à La Mecque, au milieu d'une valise pleine de cadeaux *made in Korea* ou *in Taiwan*, mais garantis porte-bonheur puisqu'ils viennent de là-bas. Ce matin, *hadj* Abboué, lavé de toutes les poussières terrestres, va retourner à la terre. Il va quitter sa maison, abandonner les siens et il doit être mort de trouille comme d'habitude, même en ce moment crucial où les choses du quotidien n'ont plus la même gravité. Je le rassure, t'en fais pas, normalement il ne devrait pas y avoir de problèmes, on va se débrouiller quelques années sans toi avant de te rejoindre, nous avons appris le français, nous prononçons correctement *école* au lieu d'*icoule*, nous ne rêvons pas de *retour dénifictif*, on est français, j'y suis j'y reste, séjour définitif, nous jouons de l'imparfait du subjonctif pour nous défendre avec la langue contre ceux qui se disent héritiers exclusifs de Vercingétorix. Tu vois, tu peux partir, papa, on va continuer. Pleure pas.

– Avec qui tu parles ?

Mon frère s'est réveillé et il m'a vu causer tout seul devant la tasse de café qu'une main féminine a délicatement déposée à l'entrée de la pièce, après avoir frappé un petit coup à la porte.

– À un rayon de soleil.

Il se lève en maugréant.

– T'as bien une tête de rayon de soleil, toi. Tu m'as pas laissé fermer l'œil de la nuit !

Il menace d'aller dès le lendemain à l'hôtel, crie qu'il est sur les nerfs parce qu'il n'a pas dormi depuis une éternité et que cela commence à lui peser sur le système solaire. Il se rend à la salle de bains, explose de nouveau quand il constate que le robinet sonne le creux.

– Putain, mais on est pas au mois d'août ! C'est quoi ce bordel ?

Il se tourne vers sa bouteille d'eau. C'est où qu'elle est, sa bouteille d'eau minérale qu'il a spécialement achetée pour avaler ses médicaments contre le stress et l'angoisse ? C'est qui qui l'a prise ? J'en sais rien du tout, je lève les mains pour me rendre. Je n'ai rien vu ce matin à mon réveil. Il fait un scandale contre X.

Habituées aux ruptures d'alimentation en eau depuis l'indépendance, les femmes étaient sur le pont à la première heure de l'aube pour remplir baignoires, bidons, seaux, cuvettes. Chaque jour, elles se font leur propre château d'eau et régulent leur consommation. Elles ont bien raison. Il y a quelques années, dans une ville moyenne de la région, j'avais assisté, lors de la cérémonie d'inauguration d'un château d'eau, à son écroulement, à la grande honte de l'architecte en chef, et immédiatement la rumeur avait couru que la fragilité de l'édifice était due au détournement de ciment, un autre matériau rare dans le pays, revendu sur le marché privé. Alors, au cours des années, les gens avaient appris à se méfier des choses publiques et à se construire des châteaux parallèles partout, pour survivre, surtout pour l'eau.

Quelqu'un frappe de nouveau à la porte, toujours un petit coup discret. Je vais voir, je vais la voir, mais elle a déjà disparu. Elle a laissé une bassine d'eau pour nous. Je lève la tête à droite à gauche, elle s'est volatilisée dans la maisonnée déjà en effervescence. Les femmes activent la cadence de leurs pas, leurs sandales glissent et lissent le carrelage refroidi par la nuit, elles passent et repassent sur la terrasse, dans les escaliers, les mains toujours pleines d'objets, un tapis, du café, du pain, un linge, un enfant tétant son biberon. Toutes les portes et fenêtres sont ouvertes, il faut laisser les rayons du soleil purifiant et le vent nettoyer les restes de la nuit.

Quand je rentre dans la pièce, mon frère est assis sur mon lit, en train de se palper les fesses, comme s'il s'était assis sur un chewing-gum. Il tord la bouche.

– Putain, mais tu pisses au lit, ou quoi ? C'est tout mouillé.

Je suis gêné. Je fais comme si.

– C'est peut-être ta bouteille d'eau minérale qui s'est renversée sur mon matelas.

Il met ses doigts sous son nez pour examiner la nature du liquide. En le regardant de travers, je le laisse faire. Il est sur le point de laisser percer sa rage, quand Malek et Farid entrent dans la pièce et me sauvent la mise. Je demande à Farid où il a dormi. Dans la pièce, à côté de moi. Il confirme que je n'ai pas arrêté de remuer et de parler à la nuit, mais cette agitation ne l'a pas dérangé.

Nous buvons le café, inconfortablement assis autour d'une table basse. « Elle » nous a apporté du pain du bled. Il est très dense, l'allure d'une matraque boursouflée de CRS. Dans sa tasse, Malek balance trois carrés de sucre, me demande combien j'en veux, surpris, il apprend que le bon Gaulois *light* que je suis ne prend jamais de sucre, il y en a bien assez dans tout le reste de notre alimentation. L'obésité guette.

– Parle pour toi ! Tu as vu des gens obèses en Algérie ? Le jour où les gens seront gros, les poules auront des dents ! Comment tu veux te nourrir convenablement avec l'équivalent de cent euros par mois pour la famille ?

Il porte la tasse à ses lèvres, tire une gorgée comme un aspirateur défectueux – ô diable, que n'ai-je gardé mes boules Quies ! –, la repose. Vivre en France nous a fait perdre le sens des réalités organiques. Effectivement, j'ai vu peu de gens rondouillards dans les rues de Sétif lors de ma balade, bien moins qu'à Lubbock au Texas, dans le Kentucky ou à New York. Ici, les gens couraient pour *manger*, et aux États-Unis, comme en France, les gens couraient pour *démanger*. Dégraisser.

– C'est pas marrant ! me fit remarquer Kader qui m'avait décidément dans son collimateur.

– Je ne ris pas pour ça. Je pensais à autre chose…

Malek en profita pour rajouter une couche carnassière.

– Tu crois que les gens mangent de la viande, ici ? Fais un sondage dans la maison et demande-leur, tu vas voir. Moi, par exemple, je suis en train de construire ma maison, eh bien je dois choisir entre acheter du ciment ou de la viande, c'est aussi cher !

Il finit d'un trait sa tasse. J'ai cru qu'il allait maintenant nous mettre à contribution pour s'offrir un mouton ou un *cochonglier* des Aurès, mais, après un temps de réflexion, il me fixa, avant d'avouer qu'au fond il ne rêvait que d'une putain de chose, c'était de perdre lui aussi le sens des réalités organiques de ce pays et de retourner dans le monde où cent euros représentaient le salaire horaire et non pas mensuel d'un travailleur. Il s'abandonna à un rire fou, laissant au passage l'assistance apprécier les dégâts dentaires de l'abus de sucre. Il n'était pas obèse, mais il avait intérêt à faire attention à ses dents s'il voulait pouvoir encore mastiquer de l'espoir dans les années à venir.

Les allées et venues s'intensifièrent dans la matinée. Des gens présents la veille étaient rentrés dans leur village pour passer la nuit et revenaient ce matin, mais de nouvelles têtes apparaissaient, tous venus accompagner le corps de mon père vers sa dernière maison de terre. Mes frères et moi, aidés de Malek, nous nous activions pour recevoir tout ce monde, échanger des mots, des émotions, des souvenirs. Malek faisait admirablement la jonction entre les uns et les autres. Beaucoup de personnes qui arrivaient avaient déjà participé à l'enterrement de son père, l'année dernière.

La Sardine n'était pas en reste.

Hier si calme, la rue était ce matin noircie de plusieurs files de voitures garées, donnant un aperçu de la diversité sociale du « peuple », les unes flambant neuves, sorties droit des usines de Sochaux ou de quelque ville allemande, les autres bringuebalantes, rescapées des années soixante-dix, rafistolées par des garagistes bricoleurs. Au milieu s'étaient glissés trois mini-cars, qui devaient servir de taxis collectifs entre les petites villes du département, et dans lesquels avaient embarqué des dizaines de personnes.

On ne pouvait plus savoir qui était qui. Le ballet des voitures était incessant. Quand elles arrivaient devant la maison, avant d'aller se garer correctement, elles s'arrêtaient d'abord pour laisser descendre la gente féminine. Toujours voilées, les épouses et les jeunes filles sortaient à la hâte, face contre terre pour ne pas s'exposer aux rayons de soleil voyeurs, et les hommes, dans un mouvement instinctif de respect, se tournaient en s'écartant pour leur libérer la voie. Les femmes rejoignaient leurs pairesses dans la salle où mon père était veillé, tandis que les hommes restaient dehors ou entraient se restaurer dans les pièces du bas.

Encore et encore, je dus faire la conversation à des hommes qui avaient connu mon papa dans le douar ou dans le béton et, à vrai dire, je parvenais de moins en moins à meubler. Quand j'en eus assez, je me déclarai débordé par la peine, désignant d'un geste ma gorge nouée qui m'empêchait de parler, alors les nouveaux arrivants me laissèrent tranquille.

Je m'éloignai momentanément de ce tohu-bohu.

Quand je réapparus, les choses commencèrent à s'emballer avec les premiers déchirements des femmes au premier étage qui firent trembler les murs déjà lézardés de la maison. L'une d'elles se mit en effet à hurler quand les hommes firent irruption dans la pièce pour la levée du corps, les enfants répondirent en chœur, suivis des autres femmes qui ne voulaient pas rester en plan. La symphonie des pleureuses alla crescendo, très rapidement.

Les hommes avaient beau leur ordonner de cesser leurs coupables épanchements, le rythme était donné, l'engrenage était lancé.

N'ayant pas été convoqué pour l'enlèvement du cercueil, je suivais de loin la cérémonie pour laquelle rien n'était laissé au hasard, comme si mes sœurs et d'autres femmes de la maisonnée avaient mis au point dans leur coin «affaires féminines» ce protocole qui réglait ces enterrements depuis la nuit des temps. Sous les vociférations larmoyantes des pleureuses, les porteurs soulevèrent le cercueil et le sortirent sans problème de la pièce. Le petit enfant poseur de questions que j'avais repéré la veille demanda quelle était la destination du grand-père. Sa mère noya sa réponse, si bien que je l'entendis répéter plusieurs fois «où?», frustré de ne pas savoir.

Il ne suivait plus.

Plus les femmes levaient au ciel leurs mains pour retenir symboliquement le corps du regretté, en geignant, plus leurs enfants hurlaient de peur.

Les marches de l'escalier furent descendues sans aucune difficulté, on savait s'y prendre maintenant. Parvenus dans la rue, les hommes n'eurent pas à attendre, une camionnette privée démarra, s'approcha à vive allure et s'arrêta devant la porte. En deux temps trois mouvements, le cercueil était embarqué. Il fallait agir vite, les femmes avaient pris possession des points stratégiques d'observation et poussaient loin jusqu'au ciel leurs lamentations, risquant de percer des nuages.

J'étais groggy. Mes yeux tournoyaient dans leurs cavités comme un diaphragme de chez Konika, prenant des clichés à la volée. Un homme me tapota sur l'épaule, je me retournai brutalement sous le coup de la surprise. Voyant qu'il m'avait effrayé, il m'embrassa pour s'excuser, se présenta sous un nom qui m'était inconnu, avant de s'inquiéter de savoir qui j'étais. Troublé, je l'informai et son visage s'illumina comme devant une révélation. Un lecteur aux anges ? Cela faisait quand même beaucoup d'émoi pour si peu. M'avait-il vu à la télévision avec François Mitterrand, Jacques Chirac, George W., Bouteflika ?

Je lui tendis mes joues sans réfléchir, ma bouche avait tellement embrassé et mordu depuis que j'étais arrivé, que je ne comptais plus.

– Allez, viens, tu montes dans ma voiture pour aller au cimetière… j'ai une 407 neuve ! me proposa-t-il étrangement en passant un bras protecteur sur mes épaules, comme s'il était vital qu'il me livre les caractéristiques techniques de sa voiture. Moi aussi j'avais une Renault Twingo 1994, quatre roues et autoradio qui fonctionnait avec un seul haut-parleur, l'autre étant en grève illimitée depuis trois ans ! Qu'est-ce qu'il croyait ? Drôle de façon vexante de se présenter, genre américain *high society* : «Hello, John Louisville, chef d'entreprise, 250 000 dollars mensuels !» Je n'eus pas le temps de me moquer de lui qu'un autre m'agrippait déjà et me fit une proposition similaire. *Salam oua rlikoum*, Mohamed von La Fayedde, Mercedes 280 SE, huit soupapes, plus une roue de secours, qu'il avait fait regonfler récemment, mais maintenant ça va, tout est *in ordnung*… Quand un troisième, l'air rustre, se rua littéralement sur moi pour me vanter les atouts de son tout-terrain neuf places et plus si intimité. Tous ces représentants de l'industrie automobile faisaient le manège autour de mon cerveau comme des derviches tourneurs, pensant que j'étais un autre. Abasourdi, je diş stop ! Quel était ce jeu stupide qu'ils étaient en train de me jouer ? J'avais autre chose à faire, d'autant que la camionnette emportant mon père était en train de partir.

– Ça suffit ! Non, non et non !

Je me suis énervé, en balançant une série de *non* qui ne voulaient rien dire du tout, mais qui avaient l'avantage de faire comprendre à ces drôles de VRP que j'avais de la repartie et qu'ils avaient beau être voyageurs représentants, ils n'allaient rien placer avec moi. J'avais fait mienne la devise de mon père, l'argent gagné n'est pas fait pour être dépensé. Sinon, à quoi ça sert de ? Assommés par mon étrangeté, les types s'éloignèrent de moi un à un. Le premier demeura à mes côtés, muet.

Au balcon de la maison, les femmes étaient toujours penchées pour suivre le grand départ. Mes sœurs pleuraient au milieu de cette pluie.

Je vis encore passer sur mon écran l'avis de décès fixé au poteau électrique. Le vent en avait décollé un coin. Cela ne changeait rien au triste tableau. Voir son papa partir pour aller s'enterrer dans un trou, alors qu'il laissait une maison chaude derrière lui ! Je me suis dit pourquoi tu te retiendrais, ce n'est pas parce que tu es un homme que tu ne peux pas pleurer à verse. Je me suis liquidé. Immédiatement, un homme vint à mon secours proposer ses mouchoirs à nez :

– Sois pas malheureux, tu…

Je répondis sèchement :

– Fais pas chier ! Laisse-moi chialer comme je veux.

Il fit trois pas en arrière, chancelant.

Un peu plus tard, dans la 407, je demandai au chauffeur très bien habillé, qui parlait un excellent français, de m'expliquer pourquoi tant de personnes se querellaient pour m'emmener dans leur voiture jusqu'au cimetière. Il m'apprit que cela portait bonheur au chauffeur qui conduisait un membre de la famille du défunt à sa dernière demeure. Il recevait une image de la part du bon Dieu, et l'autorisation de faire une réservation pour les jardins du Paradis.

J'en étais soufflé.

Le type était un riche industriel de la ville. En voyant passer à nos côtés, dans leurs voitures déglinguées, tous ces paysans en guenilles venus des douars alentour, j'ai pensé qu'ils avaient certainement plus besoin de mes services porte-bonheur que mon chauffeur. Mais enfin, fallait ce qu'il fallait, comme disait toujours ma sœur Grande Hypophyse. On n'allait pas en faire une confiture de dattes !

À l'orée de la ville, on commençait à respirer. Le béton avait lâché prise sur l'environnement. La verdure vagabonde recouvrait désormais la poussière et le parpaing standard, le ciel se montrait de nouveau dans toute sa largesse. Dommage que mon père ne puisse admirer avec moi le vol des cigognes, depuis son hublot à visée verticale.

Sur la belle route parfaitement dessinée qui menait au cimetière de Sidi Jalal, entre coquelicots et vertes étendues d'herbe, nous passâmes devant une ancienne ferme d'un riche colon français et je me mis à rêver moi aussi de mon retour *dénifictif*, je me voyais assis à mon bureau, dans une maison de pierre de style provençal, parfumée de lavande, avec des chevaux, des ânes, des moutons, en train d'écrire des romans à la menthe que j'enverrais à mes éditeurs par le réseau

Internet. Rêvée comme ça, l'idée d'un retour à Ithaque ne m'effrayait pas. Excepté, bien sûr, l'épineuse question de la sécurité.

– C'est beau par ici, fis-je remarquer à mon chauffeur.

Les traits de son visage mélangèrent brumes d'amertume et éclaircies prometteuses.

– Ici c'est le meilleur pays du monde, surenchérit-il. Si on n'était pas programmés par l'histoire pour nous autodétruire, on serait enviés par tous les habitants de cette terre. Mais voilà…

Soudain, stop. Un barrage de police. Herse sur le bitume. Kalachs braquées. Le chauffeur ralentit. La tête du chef gendarme s'inclina au ralenti vers nous, sa caméra nous analysa, sa main rassura. Vous pouvez passer. Vous êtes avec le type qui va au cimetière de Sidi Jalal ? Oui. *Allah yarahmou.* Qu'Allah lui accorde sa miséricorde !

– Ton père était un homme de bien, dit le chauffeur. Je ne le connaissais pas personnellement, mais on rapportait beaucoup de bonnes choses sur sa personne, et tu vois, qu'est-ce qui va rester derrière lui, de lui ? Seulement ça, le souvenir de son passage, ses traces. Ceux qui partent jettent la lumière sur le chemin de ceux qui suivent, leurs enfants…

Les larmes sortirent du lac. J'évitai de renifler.

Les montagnes du massif des Aurès apparurent sur notre droite. Les prés aux hautes herbes vertes se faisaient de plus en plus doux à la rêverie, des fleurs sauvages éclosaient là où elles voulaient. Ça sentait bon l'Afrique au printemps.

Nous arrivâmes dans le village de Sidi Jalal. C'est dans ce coin que les ancêtres de mon père, la tribu des *Ouled Flen*, avaient fait souche et c'était là qu'il voulait instinctivement retourner, il l'avait confié à Farid l'année dernière.

Le village avait l'air suspendu dans le vide. Maisons en construction jamais finies, absence de crépi sur les façades, accotements de la rue principale non stabilisés, rien de stable en fait, magasins de l'époque romaine, une boucherie avec étalage de viande fraîche livrée au public et aux mouches, un âne tirant une charrette vers l'inconnu, deux enfants en guenilles trempant les pieds dans une flaque d'eau, sacs plastiques noirs accrochés aux barbelés et aux broussailles à perte de vue.

Un garage. Des épaves devant. Leurs larges taches d'huile sous les ventres déglingués.

Au milieu du village, une fontaine sans eau. Nous tournâmes à droite. Droit devant, la piste menait au cimetière.

Le chauffeur gara sa 407 sur un parking improvisé, ajoutant sa touche sochalienne à l'épais nuage de poussière qui s'était déjà levé sous les pneus des voitures. Une mosquée, minuscule, pas plus large qu'un cabanon marseillais, superficiellement peinte d'un bleu et d'un rouge criards, était tapie derrière un haut mur. Par ses proportions humaines, elle me faisait penser au château d'Azay-le-Rideau, toute modestie gardée. À peine si on remarquait son minaret tant il était bas, mais on ne pouvait manquer d'apercevoir le nid de cigognes tricoté à son sommet par deux oiseaux curieux qui, en ce moment même, debout sur les branchages, observaient du bout de leur bec les porteurs qui avaient soulevé le cercueil de mon père et venaient le déposer devant le péristyle du lieu saint.

Mon chauffeur me proposa d'accélérer le pas, nous allions rater le début de la prière. Je freinai d'un coup sec – rater le début de la prière ? – avant de feindre de rattacher un lacet puis de reprendre ma marche en avant, jusqu'à ce que Farid et Kader me rejoignent.

Ensemble, soudés, nous nous plantâmes devant l'entrée de la mosquée pour passer en jugement devant Dieu.

Les choses se déroulèrent très vite, sans que nous puissions interférer dans leur ordre, elles nous dépassaient de partout. Ce rituel d'inhumation musulmane ne relevait plus depuis longtemps de notre mesquine histoire familiale privée, mais appartenait corps et âme à tous, au temps, à l'univers de l'Islam, et il nous fallait maintenant laisser les choses se faire comme elles s'étaient toujours faites depuis qu'Adam et Ève avaient posé leurs Nike dans les starting-blocks du monde.

Le cercueil était déposé à l'entrée de la mosquée, devant les croyants qui, agenouillés, semblaient nous regarder sans nous voir, à en croire leurs yeux braqués sur nous et leur attention vers le nid de cigognes. Alors je fixai mes deux frères pour partager avec eux une évidence : tous les accompagnateurs, adultes comme enfants, vieux et jeunes, étaient bien assis dans la salle principale de la mosquée, derrière les colonnes, on pouvait clairement apercevoir leurs mains de croyants se rejoindre dans la communion, leurs lèvres bouger en récitant les mêmes versets, leurs corps se plier dans le même mouvement, et nous, nous étions bouche bée devant cette mosquée coiffée d'un nid de cigognes. Aucun de nous ne savait dire la moindre prière. Les mosquées ne faisaient pas partie de notre géographie. Farid était mal à l'aise dans cette posture d'ignorant et m'avoua que c'était le seul regret que lui avait confié notre père l'année dernière : aucun de ses enfants n'était devenu musulman pratiquant, il en était diminué, comme s'il avait manqué une des missions éducatives essentielles de la vie sur terre. Du coup, Farid se demandait s'il n'allait pas s'acheter un DVD à la Fnac pour apprendre l'islam en trois ou quatre heures et revenir à la normale, pour enfin correspondre à l'idée que son père se faisait de lui.

Quant à moi, aucun état d'âme ne me titillait l'esprit. Je n'en étais pas arrivé à penser qu'Allah avait mis sur mon chemin un enfant mal éduqué de Saint-Jean-d'Acre qui devait incendier ma grange, piétiner mes champs de coquelicots, faire fuir mes troupeaux, prendre le cœur de ma femme et traiter ma fille de possédée. Non, Allah n'avait pu commettre pareille ignominie. J'avais la religion que je m'étais donnée. Personne n'avait à regretter quoi que ce soit. Si moi je ne croyais pas en Dieu, Lui croyait en moi, pour un bail de quatre-vingt-dix-neuf ans, signé entre nous tacitement, à l'insu de tous, une affaire privée qui ne regardait que nous deux. Grâce à lui, un jour, j'allais recevoir de Yasser un Colissimo. J'en étais persuadé. Je mettais chaque jour mes mains au soleil, à plat, pour réceptionner les articles commandés.

– On a l'air con, lança Kader. Tout le monde nous mate, même les cigognes.
– Parle pour toi, corrigeai-je. Personne ne t'interdit d'entrer à la mosquée et de prier.
Je ne sais quelle association d'idées plaça la bouteille de Bowmore sous mes narines à ce moment-là, sans doute mon goût irrépressible pour la provocation, le refus de l'ordre établi des choses, des lits bien bordés, des maisons trop carrées ou trop rectangulaires, la technologie du parpaing, les idées toutes faites, les récitations de paroles divines. Le troupeau. Brusquement, une agitation sur le parking me tira de mes brumes. Trois ou quatre voitures et camionnettes, dont une minuscule Lambretta napolitaine, envahirent bruyamment ce qui restait d'espace libre sur le terrain vague transformé en parking. En quelques minutes, des paysans mal rasés recouverts de vestes trop longues, flot-

tant dans des pantalons trop larges, débarquant directement du Middle West, en descendirent, portant sur leurs épaules un brancard sur lequel était allongé un corps mort enveloppé dans un linceul blanc. Ils vinrent le déposer à côté de celui de mon père.

J'en fus heurté. Ainsi, là aussi il y avait encombrement, devant la mosquée ! Il n'était pas permis de faire de cette cérémonie d'adieu aux morts un moment personnel ! Après tout, c'était pour *mon* père que ces hommes étaient en train de prier, les suivants ne pouvaient-ils pas attendre un peu plus loin leur tour, au lieu de ruiner aussi brutalement le silence qui s'était installé ici ? Un sentiment de déception et de colère m'étreignit davantage. Les enterrements se faisaient à la chaîne, un cercueil remplaçait l'autre. Même dans la mort, c'était le *Nous* qui prédominait, *Je* n'existait pas.

Et toujours les cigognes, du haut de leurs échasses rectilignes, qui observaient le manège, le bec clos.

Derrière moi, il y avait une école primaire. Quand tous les prieurs se levèrent pour sortir de la mosquée et débarrasser le plancher pour les suivants, la sonnerie scolaire de midi retentit, libérant les cris de joie des enfants. La vie avait toujours ses ressources propres. Elle criait aussi fort que le silence de la mort. En quelques minutes, le cercueil de mon père fut replacé dans la camionnette, les moteurs vrombirent de nouveau et le convoi entama la dernière étape qui nous conduisait au proche cimetière.

Des milliers de tombes étaient visibles, simples monticules de terre au-dessus desquels une pierre était posée, avec des inscriptions en arabe, portant le nom du regretté et ses dates de transit sur la terre. Dans cette immensité argileuse, ceinte de grands eucalyptus et de quelques chênes feuillus, une femme drapée dans un voile noir se tenait debout devant une mémoire, une autre s'était affalée sur le sol dans sa robe de pétales noirs, un homme trop maigre pour son pantalon marchait dans des allées de silence. Deux pies jouaient à cache-cache entre les tombes.

La fosse de mon père avait été pré-creusée. Sa place était réservée, pas très loin de celle du père de Malek. Des vieux m'invitèrent à venir porter le cercueil en terre. Je me laissai faire, comme mes deux frères, eux aussi convoqués à la tâche. Alors, en larmes, je mis mon père sur mes épaules et, calant soigneusement mes pieds dans la terre friable, le déposai dans le trou. Je revis son visage à travers le hublot. Je pleurai encore plus fort, emportant Kader dans le flot de ma tristesse. Personne ne s'interposa entre nos larmes.

Les ondes de choc de la guerre civile qui faisait des ravages dans le pays se terminaient finalement dans les cimetières. Je me disais que, vu le nombre de tombes fraîches visibles dans celui de Sidi Jalal, si tous les proches des victimes se mettaient à pleurer au diapason, il y aurait de quoi irriguer les champs tous les étés, la prouesse étant de les amener à assouvir leur besoin dans le même entonnoir afin de canaliser leur peine et de la mettre au service de l'agriculture.

Dans les cimes des arbres, le vent bruissait sur la pointe des pieds pour ne pas déranger l'instant. Lui au moins avait le sens du respect des autres.

Une fois le cercueil bien disposé dans son lit de terre, on apporta quatre blocs de béton pour le couvrir. Progressivement, le hublot disparut de la lumière, emportant définitivement le visage d'Abboué dans la nuit. Je ressortis du trou, pendant que tous les hommes s'étaient mis à faire une ultime prière, les mains en parapluie devant leur visage.

Une cigogne vint survoler les opérations. Tout se déroulait comme prévu depuis toujours. Elle s'éloigna à tire-d'aile, après constatation.

Les mains étaient toujours orientées paumes vers les cieux. Je fis de même.

Petite tape sur mon épaule.

– Allez, vas-y, c'est à toi.

Le temps était venu de reboucher le trou. Un vieux me tendit une pelle pour que je verse de la terre sur la figure de mon père. Sans hésiter, je m'en emparai, il était temps d'accélérer les choses. Je le fis d'abord avec retenue, pesant chaque pelletée, chaque couche de gravier jetée sur le mobile home garni de béton, en écoutant son profond écho, puis mes gestes s'enhardirent, jusqu'à ne plus dépendre de moi mais de la volonté des cigognes du ciel, du vent qui se mit soudain à éponger mes gouttes de sueur, de la cadence frénétique de mes frères qui pleuraient en suant. Les derviches tourneurs nous avaient de nouveau emportés dans leur tourbillon.

Stop ! Ça allait bien comme ça, c'est bon, c'est bon, la terre avait repris sa forme, enseveli ce qui lui revenait. Quelqu'un dut m'arracher la pelle des mains pour me calmer.

On planta un arbuste au pied de la tombe. Tout autour Kader versa de son eau minérale. Demain, Farid reviendrait pour construire une clôture rectangulaire en ciment pour faire beau. En ville, il ferait aussi rédiger l'épitaphe sur une plaque de marbre rose. Le nom, l'année présumée de naissance, la date du décès. Et voilà.

– Il faut qu'on ajoute «décédé à Lyon», proposai-je.

Dans un élan, je voulais que le nom de la ville où j'étais né, où Abboué avait vécu le plus clair de son temps, soit inscrit ici au pied de ce splendide massif des Aurès, dans ce cimetière musulman.

Farid n'était pas sûr que ce soit une bonne idée.

– Tu crois ? demanda-t-il.

J'en étais absolument certain.

*

Aucune femme n'avait pu assister à l'enterrement. Interdit. À cause de leurs larmes incontrôlées. Elles ne pourraient venir que demain, lorsque tout serait sec. Ici, les femmes venaient toujours demain.

Il n'en serait pas ainsi pour mes filles, n'en déplaise aux cigognes.

*

C'est moi qui eus l'idée d'aller visiter les ruines romaines de Djémila à une quarantaine de kilomètres de là. Une idée comme ça, venue sans frapper, mais insistante. Le premier soir de sa mort, je me souvenais avoir demandé à Abboué de faire bouger quelque chose dans mon appartement de Lyon pour me signaler son absence, et la réponse n'était pas venue. Elle avait en fait seulement tardé.

Il me fallait aller à la cité romaine de Djémila.

– Djémila ? Ça va pas, non !

Kader en était fou de colère. Le père était mort et moi je voulais faire du tourisme ! C'était péché ! Fallait avoir reçu un sacré coup de soleil pour sortir une idée pareille. Il resta donc dans la maison vide.

Farid, Malek, ma fille et moi, nous prîmes la voiture le lendemain après-midi pour nous rendre sur le site de la ville antique. Le soleil brillait généreusement, annonçant l'avènement d'un jour nouveau. Les sonneries de midi pouvaient reprendre leur tintement, les cris des enfants faire résonner les murs des écoles, les cigognes prendre leur envol, les larmes retourner à leurs nappes phréatiques. Féerique, la route se faufilait à travers les collines en pente douce, les prairies colorées et les champs cultivés de cette région des Hauts Plateaux. Je remarquai que des multitudes de puits étaient creusés ou en chantier, de part et d'autre de la route.

– Maintenant, les paysans disent qu'il faut aller chercher l'eau à presque un kilomètre de profondeur, commenta Malek. Ça coûte cher.

Cela n'appelait pas de réponse, la question de l'eau était dans tous les robinets, toutes les bouches, et conditionnait à elle seule l'avenir du pays, plus que la probité et l'intelligence des hommes politiques ou des militaires au pouvoir.

Nous étions les seules âmes dans ce petit coin du monde, connu à l'étranger de quelques archéologues. Aucune voiture n'empruntait la route, à croire qu'elle nous avait été spécialement réservée, que personne ne devait se mettre en travers de notre chemin jusqu'à l'arrivée aux ruines. L'air ne bruissait même pas d'un ronflement de moteur de tracteur, le ciel n'était rayé d'aucune écume d'avion, les couloirs aériens évitaient certainement le survol de cette région agitée.

Parvenus au sommet d'une colline, je demandai à Farid d'arrêter la voiture, je n'en pouvais plus, le spectacle était trop saisissant, impossible de ne pas se laisser emporter, inonder, démâter. J'ouvris la portière avant l'arrêt complet de la machine et je m'éjectai dehors.

– Qu'est-ce que tu as ? s'inquiéta ma fille.

Je répondis que c'était trop beau. Elle sourit et leva les yeux au ciel. J'allai me poster sur un monticule surplombant la vallée des puits creusés, tandis que Malek et Farid cherchaient un coin pour uriner à l'ombre des cactus. J'appelai Louisa pour qu'elle vienne me rejoindre. Elle traîna ses babouches d'adolescente.

– Regarde en bas, dans les rochers. Tu le vois ?

En contrebas, dans la roche grise, un aigle, toutes ailes repliées, attendait l'heure de la chasse, impassible photographe des micro-mouvements. J'ouvris grand mes poumons, nous étions si près du ciel pur. Si près d'Abboué. Je sentais sa présence. N'était-ce pas là ma prière, ma religion, ce silence, cette Algérie des hauteurs, des immortels paysages ? Depuis mon dernier passage en ces lieux, rien n'avait changé, les années avaient sarclé les flancs de ces collines sans lâcher leurs irrémédiables semences.

Les ruines de Djémila non plus n'avaient pas changé depuis des siècles. Dès que nous posâmes les pieds sur le site, deux guides se jetèrent sur nous pour proposer leurs services, annonçant immédiatement la couleur : c'est nous qui donnerions ce que bon nous semblerait, par ces temps de moutons maigres, il n'y avait plus de sécurité de l'emploi, pas de tarif officiel, plus de Smic, chaque pièce valait son pesant d'or. Le cousin Malek, qui savait parler à ces bougres simulateurs, leur adressa un geste méprisant de la main comme pour faire fuir des mouches, ce qui eut un effet incisif sur l'un des candidats qui, sans attendre son reste, rebroussa chemin, mains dans les poches.

Mais l'autre se vissa dans sa position. Il n'allait pas abdiquer de sitôt. Il avait des poussières, beaucoup de poussières, dans les yeux et les cheveux. Il balança un bras en avant pour réfuter le sale geste de Malek et les mauvaises ondes qu'il avait distillées dans l'atmosphère.

– S'il te plaît, j'ai trois enfants. Je n'ai plus un centime pour les nourrir, je le jure devant Dieu. Plus un centime. Moi et ma femme nous vivons d'aumône et de plantes. Accepte-moi comme guide…

Il portait un pull verdâtre, troué, un pull de marché aux puces, exactement le même que celui de mon père.

– Non ! On sait déjà tout, claqua Malek. Qu'est-ce que tu veux nous apprendre ? Tu nous prends pour des ignorants ? Allez, laisse-nous.

L'homme s'accrocha, de toutes les dents qui lui restaient. Il avait vingt-cinq ans à tout casser, la dernière fois que j'étais venu là il n'était donc même pas né.

Avec le paysage, la misère était une autre caractéristique immuable de la région.

– S'il te plaît, Allah te le rendra. Laisse-moi vous guider…

Il gémissait, embarrassé par ses mains qui cherchaient désespérément une aspérité. Il trouva la force de clore sa phrase, en murmures :

– … et tu m'achèteras du pain, c'est tout, voilà. Du pain à l'entrée du site, il y a une boulangerie… le boulanger ne peut plus nous faire l'aumône, il ne s'en sort plus, lui non plus…

Farid, le cœur renversé, mit la main à la poche et sortit des pièces en vrac qu'il lui tendit. Le malheureux s'en empara avec une vigoureuse détermination, ne résistant pas à l'envie pressante d'en faire une évaluation rapide.

– Allez, va-t'en maintenant, l'enjoignit Farid sans méchanceté.

L'homme se cabra et redressa fièrement la tête.

– Non.

– Comment non ? s'offusqua Malek.

Le guide se tourna vers Farid, il avait senti qu'il avait le cœur à portée de main.

– Laisse-moi ne pas être humilié, je t'en supplie. Laisse-moi mon métier, je suis guide, j'ai fait des études d'histoire à l'université de Constantine. Sans mon métier, qu'est-ce que je ferai ? Je t'en supplie, maître, aie pitié de moi.

J'étais choqué, au bord de la fonte. Je fixai Farid. Il soupira, c'était la première fois qu'on l'appelait « maître ». Embarrassé, il virevolta vers Malek pour recueillir son avis, mais il avait déjà tourné les talons et faisait quelques pas sur la voie romaine du centre de la cité.

– Qu'est-ce qu'il faut faire ? questionna mon frère.

Malek parla en français pour contourner les oreilles du guide pleurnichard :

– Laisse-le, il va nous emmerder pendant toute la visite.

– Non, intervint avec véhémence le garçon. Je vais vous éclairer, pas vous emmerder, je le jure. Je connais des trésors de vérités. Donne-moi ma chance.

Le vilain comprenait la langue du Gaulois jusque dans ses plus fines subtilités.

Farid ne put s'empêcher de sourire.

C'est ma fille qui insista pour laisser entrer le soleil. Elle exigea qu'on lui donne sa chance d'exercer son métier avec nous. Nous allions être ses uniques clients de l'année. Mais qui parlait dans sa bouche, à elle aussi ? Je la regardai en douce, il me sembla que c'était bien elle. Je souris. Quelque chose bougeait maintenant dans mon appartement lyonnais. Une âme faisait la visite avec nous, elle nous avait donné rendez-vous dans les allées du temps passé. Celle d'Abboué.

Finalement, Malek et Farid plièrent sous la force de survie de cet historien en ruines et l'injonction de ma fille. Il n'y avait qu'en Algérie qu'on pouvait faire des rencontres comme ça, c'était peut-être un bon argument de promotion touristique. J'étais heureux du dénouement. Nous avions sauvé une âme, j'avais écouté ma corne intérieure.

Le parfum de l'éternité remplissait les ruelles de la cité romaine où nous étions les seuls visiteurs. Depuis long-temps, les *tour operators* avaient rayé cette escale de leurs circuits. Et pourtant, le site était intact et il avait joué un rôle majeur dans l'histoire de l'Empire romain, avec ceux de Carthage en Tunisie et de Leptis Magna en Libye, d'après ce que racontait Mohamed le guide.

Les pavés résonnaient richement sous nos pas. Dans l'amphithéâtre vide, deux mésanges avaient trouvé des strapontins libres et papotaient sur les spectacles programmés ces prochains siècles. Mohamed commentait la visite pas après pas, plein de fougue, et il ne tarda pas à emballer Malek et Farid qui, ne s'étant fiés qu'à son pull troué et ses poussières, étaient loin de se douter de son érudition. Le garçon s'avérait un puits de connaissance, doublé d'un comédien, n'hésitant pas à faire appel à ses talents de conteur pour captiver son auditoire. Farid était subjugué. Il n'avait jamais vu ce visage culturel de l'Algérie.

À la sortie du site, Mohamed nous quitta en nous remerciant simplement de ne pas l'avoir humilié. Ses années d'études lui servaient à gagner son pain. La tête haute, il allait rentrer chez lui et dire à sa femme que Dieu lui avait fait rencontrer des humains sur les pavés de la cité romaine, aujourd'hui, et que c'était un beau présage pour l'avenir. Peut-être que cela valait le coup de faire d'autres enfants, après tout. Il allait trouver une raison de rapiécer son pull percé. Ses yeux brillaient d'une émotion à fleur de cils. Farid lui tendit la main pour le saluer, il y avait une liasse de billets sertie dans le creux. Le guide, en sentant la présence du papier irradiant sa peau, éclata en sanglots, mit son poing gauche contre sa joue, enfouit l'argent dans sa poche et tourna les talons sans rien dire.

Ma fille pleura, elle aussi.

Le silence reprit ses droits. Je serrai fermement la main de Louisa pour l'entraîner vers la voiture. Ce retour à l'Antiquité, ça faisait mal. Ça faisait du bien. Un enfant nous proposa de nous vendre des objets volés sur le site romain, une lampe à huile, une statuette de bronze, des pièces de cuivre. Cette fois, personne ne céda.

*

Trois jours plus tard, nous longions de nouveau la route des Aurès dans la voiture qui me ramenait, ma fille et moi, en France. Nous avions décidé de repartir non pas par Béjaïa la Kabyle, mais par Batna la Chaouïa, histoire de changer et de tester ce nouvel aéroport qui assurait une liaison avec Lyon.

Comme depuis notre arrivée, le soleil remplissait le ciel, dégageant l'horizon pour que les montagnes nous ouvrent la route vers l'aéroport. Je devinais les silhouettes de nos anges gardiens qui, depuis les crêtes, surveillaient la route rectiligne qui menait droit à la piste de décollage.

La voiture dépassa le village de Sidi Jalal, dernier domicile de mon père au camping de l'éternité. Je fixai longuement le cimetière. J'imaginai son regard bloqué, à travers le hublot. Je vis encore les cigognes. Je voulais le dire à ma fille, vérifier que je n'étais pas le seul à les apercevoir, mais elle était complètement absorbée par les champs dorés qui s'enfuyaient à perte de vue sur sa gauche et que traversait au pas un cheval ailé, blanc. Je la laissai s'imprégner des dernières images d'Algérie. Un bout d'elle était désormais enfoui ici, à ma droite, elle le savait. Je collai mon visage sur la vitre de mon côté pour un adieu à mon père. Avec des mots effleurant mes lèvres, je lui dis que je l'aimais, je ne l'avais jamais dit en son temps.

– Un barrage ! Attention ! avertit brusquement Farid en balançant un violent coup de pied sur la pédale de frein, aussi crispé qu'un hérisson traversant une autoroute surchargée.

Attention à quoi ? Il ne fallait rien changer à son comportement, surtout pas, ne pas sourire faussement et exagérément comme il en avait l'habitude à chaque barrage depuis notre arrivée, juste ralentir, baisser la vitre, faire comme si on s'arrêtait mais rouler au pas, ne pas sourire, tenir à l'œil le gendarme, dire merci monsieur, avancer sans accélérer. Suivre son destin.

Ne pas sourire, troisième avertissement.

Il ne sourit pas et nous passâmes comme dans du beurre. Le canon de la kalachnikov orienta son trou de visée dans une autre direction. Non, l'Algérie des routes nationales n'était pas sous pression.

Il nous fallut à peine une heure pour parcourir les cent kilomètres jusqu'à Batna. Les montagnes s'étaient resserrées sur les derniers kilomètres, réduisant l'intensité des lumières, augmentant l'angoisse du départ. Depuis la nuit des temps, il a toujours été plus facile d'entrer au pays que d'en sortir, et il n'y avait aucune raison objective que les choses se passent facilement et normalement. Nous étions dans un pays spécial, habité par des gens spéciaux, et avec mon passeport de Gaulois, bariolé de visas fantaisistes du monde entier, je ne passerais pas comme une lettre à la poste. J'avais même un récent tampon du Maroc et on allait me demander des comptes à ce sujet, à cause du contentieux autour du Sahara occidental.

Farid gara la voiture sur le parking bombardé de soleil, mais bien rafraîchi par une douce brise arrivée des hauteurs. Quelques hommes d'affaires, serrant à la main des porte-documents de cuir noir, s'empressaient de rejoindre leur aire d'embarquement pour s'envoler vers la capitale, laissant croire qu'on se trouvait dans une grande ville européenne. D'autant que, de l'extérieur, l'aéroport était étincelant, éclatant de blancheur, d'une netteté impeccable et qu'il s'offrait même le luxe de vitres teintées. Un drapeau algérien flottait fièrement à l'entrée en faisant miroiter son teint vert dans le bleu du ciel.

Nous entrâmes dans le hall principal. Dès le premier pas, il fallait montrer patte blanche et subir un contrôle de sécurité. Le policier nous ausculta sommairement et demanda simplement si nous avions des articles prohibés ou dangereux dans nos sacs. Rien. Alors passez, malgré le rictus incontrôlable de Farid qui aurait mérité une nouvelle fois qu'on nous arrête pour une fouille en règle.

Suivant la coutume d'Abboué qui se pointait tous les matins à l'usine une heure avant l'ouverture, de peur d'être en retard, nous étions arrivés à l'aéroport une heure et demie en avance. L'avion pour Lyon était déjà là. Bizarrement, aucun retard n'était prévu, c'était louche, anormal, il allait bien se passer un incident. En attendant, pour tuer le temps, il ne restait plus qu'à nous rendre au bar du premier étage et à prendre des cafés. Assis sans bouger pendant d'interminables minutes, nous observâmes de furtifs employés entrer et sortir de mystérieux bureaux, ouvrir et fermer des portes encore plus étranges, comme si leur mise en scène avait pour unique but de feindre que l'activité économique battait son plein dans l'aéroport international de Batna-la-Chaouia. Les agents ne savaient plus où donner de la tête, on aurait vite besoin de main-d'œuvre supplémentaire, d'investisseurs étrangers et de leurs capitaux.

J'échangeai un sourire avec Farid, nous étions sur la même longueur d'ondes. Au fond, après avoir tant parlé ces derniers jours, nous avions besoin de silence, nous n'avions plus rien à nous dire pour le moment, comme si tout à coup les douilles incandescentes de la tragédie que nous venions de vivre retombaient sur nos épaules après explosion. Histoire de se dérouiller les articulations, il se leva pour aller scruter sur une rampe d'escalier le travail réalisé par les artisans. Il revint déçu. Il avait découvert, sous les apparences du travail propre, de stupéfiantes anomalies et malfaçons dans les plâtres, les peintures, l'électricité.

Ma fille renifla, fit une grimace et se retourna nerveusement vers la table derrière nous. Trois jeunes gens fumaient et nuisaient gravement à leur santé et à nos narines. Bien sûr, dans ce café, comme dans les avions et les restaurants, la question purement bourgeoise et occidentale de séparer les espaces fumeurs et non-fumeurs était incongrue. Comme c'est souvent le cas en pareille circonstance, les fumées nocives se dirigeaient toutes dans notre direction pour nous narguer. Ma fille voulait aller de ce pas faire remarquer à ces malotrus qu'ils nous polluaient l'atmosphère, mais je l'en dissuadai, il restait une vingtaine de minutes à patienter avant le départ, on pouvait très bien changer de place ou bien prendre l'air là où il se trouvait en quantité illimitée, dehors.

À ce moment précis, un des fumeurs lâcha bruyamment un mollard sous sa table, ce qui provoqua l'ire de ma fille et un éclat de rire chez Farid qui comptabilisa un argument de plus à sa thèse du dépérissement du pays. C'en était trop pour les petits soyeux lyonnais douillets. Nous sortîmes. Le policier chargé de la sécurité nous fit signe de passer sans contrôle, il avait nos faciès dans sa mémoire maintenant.

Dans le ciel, le drapeau algérien avait cessé d'onduler. La brise s'en était allée de l'autre côté des montagnes des Aurès qui bordaient une partie de l'aéroport. Tout était devenu immobile et silencieux. C'était un lieu fait pour attendre. Une annonce, un départ, un avion.

Des ennuis.

La lumière était d'une clarté éblouissante.

Aucun vol d'oiseau dans le ciel.

Aucun nuage.

La voix de Farid n'eut pas de mal à se frayer un passage jusqu'à nos oreilles pour nous appeler. Il nous fit signe de le rejoindre en toute hâte. Je pris ma fille par la main et l'entraînai sans tarder dans l'aéroport, ce n'était vraiment pas le moment de manquer l'avion.

– Ils ont annoncé l'embarquement du vol pour Lyon, pressa Farid. Faut y aller.

– Lyon, Lyon ! criait encore un employé devant un comptoir d'enregistrement.

Ça me faisait du bien d'entendre prononcer le nom de ma ville. J'y étais déjà. Il fallait une heure trente de vol pour s'y rendre, c'était si près, mais si loin encore, un monde à franchir. Maintenant que mon papa dormait à une heure de voiture de l'aéroport de Batna, j'allais pouvoir y venir plus souvent.

Embrassades avec Farid.

– Allez, rentrez bien.

Toujours la même gêne quand il s'agit de faire des commentaires pour remplir les trous, alors qu'on pourrait accepter de ne rien dire, de se passer de mots, simplement.

– Lyon ! Embarquement, s'il vous plaît. Lyon.

On arrive.

Ma fille et moi, nous nous engageons dans un couloir qui ne sert à rien, mais c'est un couloir et en tant qu'espace restreint comme un canyon du Colorado, il doit créer l'angoisse chez le passeur mal intentionné, comme chez les autres. À la fin du canyon, un policier réclame nos cartes d'embarquement et nos passeports. Je tends d'abord celui de ma fille. Il passe rapidement en revue les pages, le lui rend, s'empare du mien, l'ouvre, prononce mon nom, me regarde dans le bleu des yeux. Je dis que c'est bien moi, pour la jouer décontracté. Il lâche froidement :

– Tu as la carte du service militaire ?

Je glousse d'un rire jaune.

J'arrête net. Blanc.

– J'ai quarante-cinq ans !

Et alors ? Je ne suis pas supposé avoir été exempté du service national. C'est entendu, je ne l'ai pas fait. Je n'ai jamais accepté l'idée de perdre deux précieuses années de ma vie. Je montre mes cheveux au policier.

– Regarde, ils sont blancs !

Il me tend mon passeport français en souriant.

– Bon voyage.

Il m'a devancé, le farceur. Dès le début, il voulait jouer avec mes nerfs de Gaulois, histoire de me rappeler que, s'il voulait chercher un pou dans ma tête poivre et sel, certainement qu'il le trouverait, parce qu'il n'y a jamais de fumée sans feu, mais nous sommes en avril, le soleil a tracé sa route dans les Aurès, les coquelicots sont fleuris, les fonctionnaires ont du travail, que demande le peuple ? Il n'empêche, je me suis repassé dans la tête quelques odieux moments vécus au guichet de l'aéroport d'Alger, quand mes cheveux d'adolescent étaient noirs. Tout tremblant, je remercie l'homme bon. Il me renvoie un sourire, tout en faisant signe à la personne derrière moi d'avancer vers lui.

Nous progressons vers l'étape suivante et parvenons à un guichet où trône, tel un renard dans son terrier, un jeune policier au visage complètement plombé. Des rideaux sales empêchent de voir où nous sommes et nous contraignent à cheminer droit devant pour nous soumettre aveuglément aux ultimes contrôles de la Nation. L'angoisse monte d'un cran.

Le jeune homme lance son bras pour nous autoriser, ma fille et moi, à venir jusqu'à lui. Nous franchissons la ligne blanche au sol et faisons quelques pas vers lui. Alors que ma fille lui tend son passeport, il me lance un regard sombre.

– Toi, retourne derrière la ligne blanche, c'est un par un !

– Pardon, je…

– Derrière la ligne, je te dis. Il faut de l'organisation, un peu, non ?

Bon. Je ne discute pas. J'exécute l'ordre de repli.

Je suis à deux mètres, je le vois ouvrir le passeport de ma fille et l'entends lui réclamer une autorisation paternelle de quitter le territoire. La pauvre, elle ne comprend même pas la signification de ces mots couperets, que seuls les indigènes rompus au modèle d'organisation du Soviet suprême de 1970 peuvent avoir enregistrés dans le disque dur de leurs gènes. Elle se tourne vers moi, perdue.

– Autorisation paternelle, tu l'as ? réitère le contrôleur.

Il insiste, moitié en arabe et moitié en français, mais elle ne parle pas l'arabe, elle n'a pas eu le temps d'apprendre, à cause de mon divorce précoce, elle n'a pu voir mes parents qu'un week-end sur deux. Un week-end sur deux ! Qu'est-ce que tu veux faire avec si peu, dis-le-moi, mon frère ? Ma fille panique. Une intervention s'impose. Je quitte la ligne blanche pour courir à sa rescousse. Je dis bonjour, je commence un mot, mais le policier me fusille du bout du doigt.

– Toi, je t'ai déjà dit de rester derrière la ligne blanche.

Tu viendras quand ce sera ton tour, compris ? Tu veux que je te le dise en arabe ou en *francis* ?

Euh. Oui. Je fais demi-tour. Je lance à ma fille un regard désolé. Nous sommes dans de beaux draps, mais t'en fais pas, on est ressortissants d'un pays des Droits de l'Homme, on va s'en tirer, chérie.

– J'ai pas d'autorisation paternelle, elle est obligée de reconnaître. Mais c'est mon père, là-bas.

Le type me décoche un de ses regards. C'est moi, oui, oui. Hou hou ! C'est ce que j'essayais de te dire, mais tu m'as rembarré comme un vulgaire animal à quatre pattes.

C'est lui qui décide du temps, alors il réfléchit, feuillette une nouvelle fois les pages coloriées de mon passeport, lève le menton vers moi pour dire que cette fois, ça y est, il a fait son analyse, il a décidé. Il m'autorise enfin à franchir la fameuse ligne blanche. J'accours.

– C'est ta fille ?

– Oui.

– Tu aurais pu le dire avant, non ? Tu me fais perdre mon temps.

– J'ai essayé, mais j'avais pas le temps de…

– Pas le temps, pas le temps. Tu as l'autorisation paternelle pour elle ?

– Quoi ? Mais je suis son père ! Ou bien elle est ma fille si tu préfères.

– Ah !

Sur cet entrelacs de malentendus, un autre type entre en piste. Il est court sur pattes, étriqué dans son uniforme, avec une tête qui inspire l'amitié entre les peuples et une moustache qui, contrairement à toutes celles que j'ai croisées durant ce séjour au bled, est de nature à agrémenter le faciès de l'officier de la police des frontières.

Car l'homme était un officier. Je l'avais remarqué à trois indices :

1. Il était venu vers nous à tout petits pas, ce qui voulait dire qu'il prenait son temps pour examiner de loin la situation, la laisser se développer, c'est lui qui tenait le sablier.

2. Il gardait les mains croisées dans le dos. Manière de montrer qu'il avait le pouvoir discrétionnaire, celui de la décision finale. Si l'envie le prenait de me faire enfermer dans une geôle pour le restant de mes jours, ou bien de m'expédier au cimetière de Sidi Jalal aux côtés de mon père, il en avait l'infinie possibilité.

3. Ses épaules ressemblaient à un bout de ciel nocturne : de chaque côté, elles portaient une rangée d'étoiles, deux ou trois, je n'ai pas eu le temps de compter. Je n'avais pas effectué mon service national, mais je savais instinctivement traduire les étoiles en indice de puissance et de dangerosité.

Autrement dit, j'étais dans une mauvaise passe. Et Farid qui était reparti sur la route, après m'avoir livré, avec ma fille, aux griffes de ces fous en uniforme !

– Quoi ? Il y a un problème ? demande le gradé au jeune débutant en s'approchant de son comptoir.

Tout son corps est mobilisé pour affirmer qu'il est un chef dans cet aéroport mal fini. Le jeune explique que je prétends que la jeune fille est ma progéniture, et qu'il a fait son travail normalement en me demandant une autorisation paternelle pour la laisser sortir du territoire national. Bien résumé. Le chef pose nonchalamment son avant-bras sur le comptoir, toujours sans m'accorder le moindre intérêt oculaire, pour me faire comprendre que je ne suis rien, ni personne, juste un misérable cas d'espèce. D'un geste mou du bras, il demande qu'on lui donne mon passeport. Le jeune s'exécute. Le gradé lit mon document comme un livre illustré, je sens que tous ces visas qu'il parcourt le fascinent, ils sont beaux, certains sont calligraphiés à l'encre luisante, et puis il y a ceux qui m'ont servi à me rendre aux États-Unis d'Amé-

rique, ce n'est pas rien quand même, les États-Unis !
C'est pas tout le monde qui peut aller là-bas, dans les
traces de *Christouphe Couloumbe* ! Toutes ces illustra-
tions font le lit de l'imagination de l'amateur de voyages
qu'il est, mais qui ne voyage jamais par manque de
moyens, et qui sans doute ne voyagera jamais parce
qu'il n'aura jamais de visa. Oh oui, toutes ces belles
estampilles rédigées dans les langues du monde avivent
sa frustration, ouvrent les cicatrices qui le mutilent
depuis sa naissance.

Il me zieute de toute sa hauteur.

– Tu prétends que c'est ta fille ?

– Oui, bien sûr, elle l'est.

Il regarde la pointe de ses ongles.

– Livret de famille.

– Quoi ?

Il redresse la tête.

– Tu as le livret de famille ?

– Non. Je ne l'ai pas pris avec moi. Je suis venu ici
pour enterrer mon père et nous sommes partis de Lyon
en catastrophe, je…

– Résumons-nous : tu n'as donc pas le livret de
famille !

– Eh non, je…

– Oui ou non ?

– Non.

– Donc, tu ne peux pas me prouver que c'est ta fille.

– Non, mais…

– Oui ou non !

– Non.

Et le type s'en va avec ses étoiles bien accrochées.
Elles brillent, il les polit amoureusement tous les
matins. La démonstration est terminée, mise en équa-
tion mathématique. Le passeport au nom de ma fille ne
préjuge pas de son lien de parenté avec moi. Seul le
document familial pourrait l'attester, je suis dans de

beaux draps sales. Désorienté, j'ai une seule pensée à ce moment : deviner sur quelle portion de la route se trouve Farid, l'appeler, lui crier de faire demi-tour. Vite. Mais je n'ai pas de numéro de téléphone. Je n'ai plus rien.

Ma fille m'examine, soucieuse de la suite.

– Désolé, la fille reste là. Elle ne peut pas sortir du territoire, lâche le gradé qui revient tout doucement sur ses pas.

Un pas, deux pas, il s'arrête, hésite. Je le fixe dans les pupilles pour l'hypnotiser. Une seconde, deux secondes, je dois lui faire comprendre que je n'ai pas peur de ses étoiles.

– Pourquoi tu me regardes comme ça ? Il y a quelque chose qui ne va pas ?

Il joue aussi des mains à l'italienne pour aller jusqu'au fond des choses. Je reste de marbre.

– Non. Il y a rien qui ne va pas.

– Alors pourquoi tu me regardes dans les yeux ?

Ah, il voudrait m'obliger à baisser les miens comme on courbe l'échine devant l'autorité céleste. Il voudrait que je lève les mains ouvertes au ciel. Mais je reste imperturbable.

– Tu n'as pas de document attestant que la fille est la tienne et tu voudrais que l'on passe cela sous silence ?

– Je voudrais rien, j'ai fait remarquer.

Il reprend mon passeport, feuillette de nouveau les visas, imagine les frontières que j'ai traversées dans ma vie, alors que lui est l'otage des montagnes des Aurès avoisinantes pour trois cents euros mensuels ! De quoi chercher des poux au passant voyageur multi-visas, non ?

– C'est pas parce que tu viens de France que tu dois te croire dans un moulin. Ici comme ailleurs il faut avoir des papiers d'identité pour voyager.

– Ma fille voulait voir son pays, c'est ça.

J'envoie cette pierre dans son tas de certitudes, pour tester la propagation des ondes sur son cœur.

– Ça ne t'empêche pas de prendre le livret de famille.

Il a fait une obsession de cette pièce à conviction, comme disent les avocats qui m'ont guidé dans ma procédure de divorce.

– C'est vrai, je reconnais. J'ai fait une erreur, j'aurais dû prier mon père de mourir un peu plus tard, quand elle aurait eu dix-huit ans… mais c'est toujours une question de temps.

Il me rend mon passeport. Il n'y a ni vaincu ni vainqueur. Personne n'a perdu la face. Pas d'humiliation. Il ne dit plus un mot et s'en retourne dans les files d'attente pour trouver d'autres moutons à terroriser avec la réverbération de ses étoiles sur ses épaules de gringalet.

– On peut y aller, maintenant ? demande ma fille qui n'a pas compris les enjeux de la joute oculaire.

– Oui, répond le jeune derrière son comptoir.

Pas un muscle de son visage ne bouge. Il est parfaitement dressé.

– Qu'est-ce qu'il voulait ? interroge ma fille.

– Le livret de famille, pardi ! Tu sais où il est, toi ?

– Chez maman.

Un jour, il faudra que je m'en fasse faire un, j'en aurai besoin lorsque je reviendrai à Sidi Jalal pour me recueillir sur la tombe du grand-père de mes deux filles.

Le gradé disparaît dans la foule, les mains toujours scellées dans son dos à scoliose. Le passage est franchi. Maintenant, le jeu de piste nous amène devant deux autres agents de contrôle, habillés différemment, des douaniers qui me demandent un reçu prouvant que j'ai bien changé de l'argent au cours officiel en entrant dans le pays, et donc que je ne me suis pas approvisionné au marché noir.

– Je n'ai pas changé de devises, je réponds. Je suis venu enterrer mon père…

– Allah lui accorde sa miséricorde… Où ?

– Où quoi ?

– Où vous l'avez enterré ?

– À Sidi Jalal.

– Ah ! Et tu n'as pas changé de devises ? Tu es sûr ?

Il réclame mon passeport, zieute lui aussi les visas, l'autre tend même la tête sur mon document pour respirer à son tour l'air du grand large, chuchote des commentaires inaudibles.

– Sûr, mon père avait de l'argent ici.

– Tu es allé au Maroc récemment… Regarde, c'est marqué ici…

Je dis que je suis allé à Tanger pour un colloque sur le Tabou et le Sacré, pour tout leur avouer. Il me rend mon passeport sans m'accorder le moindre regard, l'air de dire : Dégage d'ici. Je ne fais plus le soyeux. C'est fait, terminé, nous avons réussi la traversée. Un policier nous indique le chemin à suivre pour le prochain examen de conscience. Quelles surprises nous attendent ? Glaces déformantes ? Cadavres sortis des grottes à notre passage ? Dépôt de drogue dans une poche de mon manteau ? Rien de tout cela, la salle d'attente s'ouvre soudain devant nous, comme un champ de blé mûr. Des voyageurs sont déjà là, sauvés des eaux, ils nous regardent comme si nous revenions d'un voyage au centre de la Terre, transpirants, blancs, sales, les yeux agressés par la luminosité. Nous dénichons deux places côte à côte et nous nous asseyons enfin. Expiration. Ma fille est passée à côté des batailles au millimètre que j'ai dû livrer pour franchir les caps. Tout s'est joué au mot près, au moindre petit indice, à la seconde de trop, à un haussement de sourcil, à un micro-tremblement de la narine gauche. C'est l'Algérie. Je l'ai en moi. Seuls les adeptes du yoga et de la plongée en apnée peuvent y survivre.

De la salle d'attente, on aperçoit l'unique avion qui se trouve sur la piste et les centaines de bagages déposés devant. Il faut de nouveau attendre. Je regarde des policiers qui traînent encore leurs bottes dans les rangs pour inspecter les jeunes voyageurs, les plus subversifs, les plus roublards, les plus politiques, pour les tenir en joue jusqu'à l'ultime limite. Ils demandent à l'un d'eux de présenter de nouveau ses papiers. Je savais qu'ils n'allaient pas revenir vers nous. J'étais confiant.

– Lyon ! Lyon ! Embarquement s'il vous plaît.

L'hôtesse appelle, sans micro. Cette fois, le départ prend vraiment corps. Il ne reste plus que quelques mètres à franchir, quelques pas, avant de se retrouver hors de portée de la nuisance des hommes en uniformes. Je presse ma fille de se bouger. Elle rit, il y a le temps, l'avion ne va pas partir sans nous. Elle raisonne encore comme une Occidentale. Mais si, ma chérie, l'avion pourrait partir sans nous, nous abandonner sur le tarmac sans aucun scrupule, que crois-tu ? Allez, remue-toi vite. Nous présentons nos cartes d'embarquement à l'hôtesse, elle les passe dans sa machine à enregistrer, nous les rend. Merci, bon voyage. Tiens, elle l'a dit. Cela se remarque, la gentillesse. Nous franchissons la porte ouverte. De l'air ! Il caresse nos visages. Nouveau barrage de policiers. Passeports. Ils comparent la photo du document avec la vraie tête du passager. Ça y est, les passeports sont dans mes mains. Les deux. Collés. Nous marchons vers les bagages pour reconnaître les nôtres. Un policier trace sur chaque valise une croix à la craie blanche et nous demande d'avancer vers l'avion. Cette fois, c'est moi qui dis merci. Au pied de l'avion, j'aperçois le steward en chef qui discute le bout de gras avec un policier. Je file droit sur lui. Bonjour, je peux vous demander un service, s'il vous plaît ? Allez-y toujours. Voilà, quand nous sommes venus, ma fille et moi, la semaine dernière, nous nous sommes retrouvés dans l'avion avec des fumeurs qui nous ont pollué l'air pendant tout le trajet... et nous ne voulons pas faire le voyage dans les mêmes conditions. Vous pouvez faire quelque chose, je suis asthmatique.

– Asthmatique ?

– Oui.

– Vous avez le certificat médical ?

– Comment ? Le quoi ?

– Certificat médical.

– Non.

Je ne peux m'empêcher de rire aux éclats.

– Alors, désolé, monsieur, mais je ne peux rien faire pour vous. On va avoir du retard, je n'ai pas de temps à perdre.

Il fait quelques pas et va allumer une cigarette, loin des réacteurs et des réservoirs du Boeing.

L'asphalte est chauffé par le soleil blanc. Les rayons sont réfléchis par la carlingue de l'avion et rebondissent sur mon front. Je suis dans le tourbillon, soufflé. Allez, allez, c'est pas le moment de flancher, tu y es presque, encore un effort. Je tourne la tête, comme Mohamed Ali qui, au quinzième round, vient de recevoir un magistral uppercut et cherche des mains Joe Frazier qui a disparu de son champ de vision. Mais il est déjà à terre dans la brume. L'autre méchant lui prépare un coup fatal qui va l'envoyer pour la première fois de sa carrière dans les roses, pour mon plus grand malheur.

Le policier étoilé m'observe de loin. Il a suivi mon combat en un round et élimination directe contre le steward.

– Allez viens, je dis à ma fille, on s'en va.

Nous nous présentons devant l'escalier à l'arrière de l'appareil. Comme celui de l'avant, il est barré par une demi-douzaine de policiers dont l'arme en bandoulière se repose d'un seul œil. Je croise de nouveau sur ma route le gradé. Il sourit. Moi pas, le steward m'a rendu fou. Alors, monsieur Azouz, ça va ? C'est le gradé, les mains croisées dans le dos, qui m'adresse la parole. Je suis stupéfait.

– Tu me connais ?

– Hé hé, bien sûr que je te connais. Qu'est-ce que tu crois, je ne suis pas policier pour rien.

Il palpe sa moustache, fier. J'en suis tout retourné. Je frissonne de joie, j'exulte.

– D'où tu me connais ? je demande quand même.

J'ai un doute, c'est trop gros. Il pointe un doigt sur sa poitrine.

– D'où je te connais ? Tu me demandes ça ? À moi ?

Il oscille la tête pour dire que la question en elle-même est injurieuse. Je vais presque m'excuser, je suis trop modeste, enfin quelqu'un a reconnu l'écrivain algérien d'origine que je suis, célébré du Val-Fourré aux Minguettes de Vénissieux, en passant par Neuhof à Strasbourg et le Mas-du-Taureau à Vaulx-en-Velin, je ne vais quand même pas faire le faux naïf. Le gradé n'est pas inculte, loin de là, il jouait au débile pour me tester. Il y avait de la psychologie soviétique là-dessous. Trop fort, le moustachu. J'étais libéré d'avoir enfin trouvé la reconnaissance nationale de cette façon, discrète, subtile, égalitaire, parce qu'il n'y avait aucune raison que je bénéficie d'un régime de faveur du fait de ma notoriété. Je n'avais aucun moyen de prouver que Louisa était vraiment ma fille, c'était un constat, de ma seule responsabilité. Voilà un vrai pays démocratique ! Bravo les gars ! Que dis-je ? Pas les gars, les frères ! Je le relance quand même, ému aux larmes. Je veux l'entendre dire que je suis écrivain algérien, connu et reconnu, que mon père enterré sous cette terre fait définitivement de moi un enfant d'ici.

– Oui, vas-y, dis-moi.

Il vrille son visage façon Jean-Paul Belmondo, dirige son attention du côté de la salle d'embarquement d'où nous sortons et pointe son menton en avant :

– C'est toi qui n'avais pas le livret de famille de ta fille, tout à l'heure.

Le ciel me tombe sur le crâne d'un seul coup. Je deviens blême. Je m'incline pour adopter un profil aérodynamique et fendre l'air, pousse ma fille pour qu'elle grimpe cet escalier aussi vite que possible et je lui emboîte le pas. Je ne veux plus me retourner.

Allez, stop. On arrête là. On continue. On recommence.

*

Aux mêmes éditions

Le Gone du Chaâba
« Point-Virgule », 1986 ; 2001
« Cadre rouge », 1998
et « Points », n° P 1320

Béni ou le Paradis privé
« Point-Virgule », 1989
et « Points », n° P 1321

Écarts d'identité
en collaboration avec Abdellatif Chaouite
« Point-Virgule », 1990

Les Voleurs d'écritures
illustré par Catherine Louis
« Petit Point », 1990
et « Point-Virgule », 1998

L'Ilet-aux-Vents
« Point-Virgule », 1992

Les Tireurs d'étoiles
illustré par Josette Andress
« Petit Point », 1992

Quartiers sensibles
en collaboration avec Christian Delorme
« Point-Virgule », 1994

Une semaine à Cap Maudit
illustré par Catherine Louis
« Petit Point », 1994

Les Chiens aussi
1995
« Point-Virgule », 1996
et « Points », n° P 1229

**Le Gone du Chaâba / Béni ou le Paradis privé /
Les Chiens aussi**
3 volumes sous coffret, coll. « Point-Virgule », 1996

Zenzela
« Cadre Rouge », 1997
et « Point-Virgule », 1999

Du bon usage de la distance chez les sauvageons
en collaboration avec Reynald Rossini
« Point-Virgule », 1999

Le Passeport
« Cadre Rouge », 2000

Ahmed de Bourgogne
en collaboration avec Ahmed Benediff
2001
et « Point-Virgule », 2003

Le Théorème de Mamadou
Seuil Jeunesse, 2002

Le Marteau pique-cœur
« Cadre Rouge », 2004

Chez d'autres éditeurs

L'Immigré et sa ville
Presses universitaires de Lyon, 1984

La Ville des autres
Presses universitaires de Lyon, 1991

La Force du berger
illustré par Catherine Louis
La Joie de lire, Genève, 1991

Jordi et le Rayon perdu
La Joie de lire, Genève, 1992

Le Temps des villages
illustré par Catherine Louis
La Joie de lire, Genève, 1993

Les Lumières de Lyon
en collaboration avec Cl. Burgelin et A. Decourtray
Éditions du Pélican, 1994

Quand on est mort, c'est pour toute la vie
Gallimard, « Page Blanche », 1994
« Frontières », 1998
« Scripto », 2002

Ma maman est devenue une étoile
illustré par Catherine Louis
La Joie de lire, Genève, 1995

Mona et le Bateau-livre
illustré par Catherine Louis
Compagnie du livre, 1995
Chardon bleu, 1996

Espace et Exclusion
L'Harmattan, 1995

Place du Pont, la Médina de Lyon
Autrement, « Monde », 1997

Dis Oualla !
Fayard, « Libres », 1997
Mille et une nuits, 2001

Un train pour chez nous
Thierry Magnier, 2001

Les Dérouilleurs
Mille et une nuits, 2002

L'Intégration
Le Cavalier bleu, 2003

RÉALISATION : PAO ÉDITIONS DU SEUIL
IMPRESSION : NOVOPRINT
DÉPÔT LÉGAL : MARS 2005. Nº 79836
IMPRIMÉ EN ESPAGNE

Collection Points